KB105038

AI 는 못따라오는,

리더의 감성지능
(Emotional Leadership)

리더의 감성활용에 대한 활용 지침서

AI는 못 따라오는 리더의 감성지능

발 행 | 2024.04.20

저 자 | 김보람, 박민재, 박소윤, 장지혜, 허다겸, 한송희

펴낸이 | 한건희

펴낸곳 | 주식회사 부크크

출판사등록 | 2014.07.15 (제2014-16호)

주 소 | 서울특별시 금천구 가산털1로 119 SK트윈타워 A동 305호

이메일 | info@bookk.co.kr

ISBN | 979-11-410-8044-0

www. bookk.co.kr

삶의 진정한 비극은 우리가 충분한 강점을 갖지 못한 데 있는 것이 아니라, 이미 갖고 있는 것을 충분히 활용하지 못하는 데에 있다.

- 벤자민 프랭클린 -

목 차

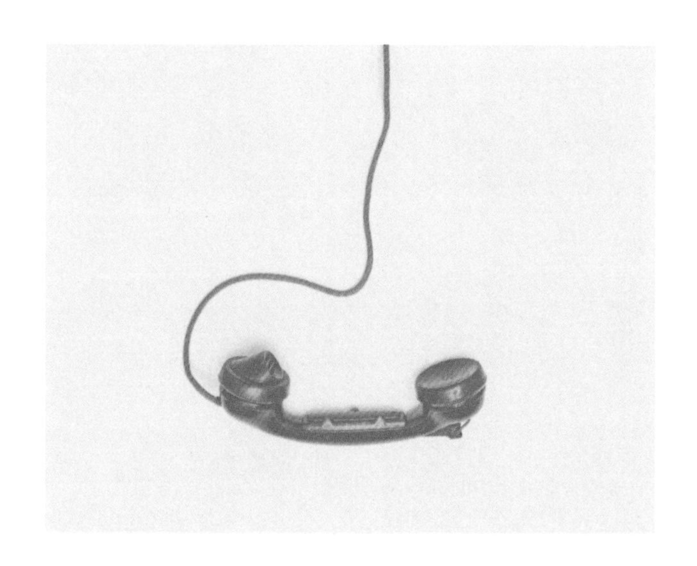

얼마 전 SNS 내 영상에서 세대가 다른 모녀가 특정 행동을 취하라는 지령에 다른 행동을 취하고 웃음을 유발하는 영상을 본 적이 있다. 예를 들면 “전화 받는 모습을 취해보세요” 라고 하자 X세대 엄마는 엄지 손가락과 새끼손가락을 이용해 귀에 가져다 댄 반면, Z세대 딸은 손바닥 전체를 귀에 갖다 대는 것이었다. 어릴 적 다이얼을 돌려 전화를 걸던 전화기에서부터 휴대폰의 역사를 오롯이 겪어온 기성세대들에게 전화는 송화기와 수화기가 커다랗게 달린 긴 막대모양을 떠올린다. 그러나 태어날 때부터 스마트폰을 사용한 지금의 세대는 네모난 기계를 그저 귀에만 가져가면 그 뿐이다. 이렇듯 경험의 차이는 우리 모두의 머릿속에 지금껏 겪지 못했던 ‘이상한 나라의 사람들’을 만들어내기에 웃음까지 유발한다.

협력과 소통을 어느 때보다 많이 외치지만, 그 어느 시기보다 협력과 소통이 잘 되지 않는 시대라고 느낀다. 서로의 경험을 정통으로 인정해달라는 개인들이 한치의 양보도 없이 소리 없는 아우성을 외치고 현재의 조직 문화를 이끌어 가는 핵심 인력은 결국 지금까지 문화를 만들어 온 구성원들이며 새로운 세대들은 지금의 조직 문화에 혁신을 바란다. 그리고 당연히도 혁신의 속도는 인지의 속도를 따라오지 못한다.

그런 이유로 위와 아래를 연결하는 중간관리자의 역할이 어느때보다 필요하다. 특히 팔로워에서 리더로 위치가 바뀌거나 스타트업의 문화를 바람직하게 바꾸어 나가야 할 책임을 지는 그 누군가에게는 더욱 필요한 역량이 사람과 사람을 연결하는 능력이다. 누군가의 감정을 읽고, 그 감정을 이해하고 공감하여 목표를 이루는데 활용할 수 있으며 자기를 조절할 수 있는 '연결고리' 를 이해하는 사람이 성공한다. 조직 혹은 일상에서도 사람 사이에서 일어나는 에너지의 역동을 제대로 바라볼 수 있는 사람이라면 스스로의 삶을 만족스럽게 가꾸어 나갈 수 있다.

앞으로 펼쳐지는 이야기들은 감성지능에 대한 이론에서부터 활용까지 구체적인 액션 플랜들에 대한 이야기이다. 새롭게 리더역할을 맡아 조직의 새로운 장을 열어가는 그들에게 도움이 되기를 바라면서 감성을 지능이라고 보는 여섯명의 트레이너들이 오랜 시간 정성을 담아 한줄씩 적어내려간 글들이다. 오늘도 현업에서 홀로 투쟁하는 리더들에게 조금이나마 도움이 되었으면 한다

2024. 5월에

저자들의 염원과 바램을 담아 드림

01
감성지능, 뭐가 중한디.

김홍도 대리는 등 뒤에서 식은 땀이 흐르고 있다. 아침에 버스에 빈 자리가 없어 한 대를 그냥 보내버렸기 때문이다. 입석금지 조치가 취해진 뒤로 이렇게 버스를 보내는 일이 많아졌다. 원래는 바로 다음 버스가 와야 하는데 무슨 일인지 평소보다 느리게 도착했고, 겨우 남은 한 자리에 올라탈 수 있었지만 결국 회사에 도착한 시간은 9시 2분. 이미 동료들은 출근했고, 본의 아니게 지각을 하게 된 김 대리는 약간의 죄책감에 고개를 숙이며 자리로 들어갔다. "죄송합니다. 조금 늦었습니다"

그러니 회사 분위기는 냉랭했다. 월요일 아침이기도 했고, 얼마 전 변경된 내규에서는 지각하면 무조건 반차를 처리하라는 사장님 지침이 내려왔기 때문이다. 2분 밖에 안지났는데.. 인간적으로 그냥 넘어가면 되지 않나? 라는 생각을 하며 자리에 슬쩍 앉아보려고 했으나 어김없이 팀장님의 음성이 파티션 너머로 들려왔다. "김 대리, 늦었으니까 반차 올리세요"

아.. 역시나 였다. 아무리 규정이라도 2분의 융통성도 없는, 그것도 내 잘못은 아닌 것 같은데 피 같은 반차를 써내야 하다니. 알고 있던 사실이지만 그래도 기분은 슬슬 나빠지기 시작했다. '하. 진짜 오늘 아침부터 왜 이러냐 진짜.. 이놈의 회사는 융통성도 팀원에 대한 배려도 없는 거야?. 열받는데 여기 있어서 뭐해. 나가서 커피숍에나 있다가 들어와야겠다.' 신경질 나는 마음에 자리에서 벌떡 일어나 감정을 추스르며 짐을 싸서 나가려는데 다시 팀장님 목소리가 들려온다. “어디 가려고?” “네, 어짜피 반차니까 이따가 시간 맞춰 들어오겠습니다” 당당히 말하고 짐을 싸서 나오는데 왠지 모를 죄책감이 조여온다.

분명 잘못한 것 없는데 왜 그럴까 싶어 일부러 어깨를 당당히 펴본다. 팀장님의 한숨 소리가 나지막히 들려온다. “하.. 진짜 요즘 애들 힘들다..”

이성적 조치는 감정을 건드린다. 감정이 살아있는 인간들이 모여 함께 일하는 곳에서는 항상 감정과 감정이 부딪힌다. 따라서 현대 조직은 더 나은 성과와 협력을 위해 감성지능을 높여야 한다는 목소리가 커지고 있지만, 실상 조직에서 감성지능이 발현된 사례는 그다지 많지 않은 것 같다.

감성 지능이란 자신의 감정을 인식하고 조절 및 관리할 뿐 아니라 타인의 감정에 공감할 수 있는 능력을 말한다. 세계적인 심리학자 대니얼 골먼(Daniel Goleman)은 IQ가 높은 사람만이 성공하는 것은 아니며 일부 영역에서는 감성지능이 IQ보다 훨씬 중요하다고 말하면서 188개의 글로벌 기업을 대상으로 역량모델을 분석하는 실험을 했고 그 과정에서 능력 있고 고성과를 내는 사람들의 감성지능이 다른 능력보다 두 배 더 높다는 결과를 내놓았다. 감성지능이 높은 사람은 충동적인 감정으로부터 스스로를 통제하며 자제할 줄 알며 스스로에게 동기부여를 제공하기 때문에 더 효율적이며 성공적인 인생을 살 확률이 높다는 것이다. 대체 우리에게 감정이라는 것이 어떤 역할을 하기 때문일까?

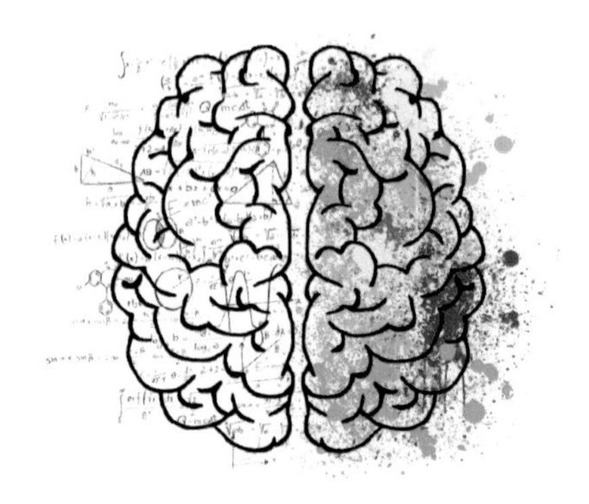

행동을 이끌어내는 돌격대장, 감정

감정은 행동으로, 신체반응으로 이어진다. 예를 들어 놀랄만한 소식을 들었을 때 눈썹이 올라가 눈동자가 커지는 경우가 있다. 이는 예상하지 못했던 시야를 확보하여 많은 정보를 받아들이고 현재 상황을 조금 더 정확하게 판단하기 위함이다. 불안하거나 두려울 때는 표정을 아무리 감춘다고 하더라도 신체적 반응을 막을 수 없다. 일상의 예를 들어보자. 만일 과거에 사이가 좋지 않았던 사람과 비슷하게 생긴 사람을 스쳐 지나갈 때 어떤 신체 반응이 일어나는가? 순간 '그 사람인가?' 라는 생각과 함께 나도 모르게 심장박동이 빨라지거나 숨이 차는 증상이 나타나지는 않는가?

그렇다면 우울한 감정을 느낄 때 당신은 어떤가? 아마도 한숨을 자주 쉬거나 무기력한 목소리로 대화하기도 할 것이다. 외부 활동이 줄어들고 아무 것도 하지 않은 채 누워만 있을 수도 있다. 반대로 반갑고 기쁜 감정도 마찬가지이다. 오랜만에 만난 옛 친구나 보고 싶었던 사람을 마주치게 되었을 때에는 자동적으로 악수를 하려고 손을 내밀거나 포옹을 하기도 한다. 그 외에도 감정이 격해졌을 때에는 나도 모르게 목소리 톤이 변하거나 얼굴 표정이 변할 것이다. 감정은 신체적인 반응이나 행동으로 나타난다.

감정이 행동으로 이어진다는 것은 어떤 의미일지 곰곰히 생각해보자. 만일 조직 내에서 다른 사람들의 감정을 고려하지 않은 채 불같이 화를 내거나 마음대로 행동하는 사람이 있다고 가정해보는 것이다. 우리가 모두 예상할 수 있듯이 이러한 사람들은 팀(또는 조직에) 좋은 영향력을 행사할 수 없다. 우울하고 불안한 감정을 가진 사람은 주변 사람들에게 감정을 전염시키고, 드러나는 부정적인 말과 행동으로 분위기를 가라앉히게 될 것이다. 감정이 행동으로 드러난다는 것은, 개인과 사회적 관계의 변화로도 이어지기에 중요한 것이다. 즉, 다른 사람들과의 관계에도 영향력을 미친다. 여기에 감성지능의 핵심이 있다.

언론을 통해서도 잘 알려진 '피니어스 게이지'(Phineas Gage)의 일화를 보자. 공사 현장에서 일을 하던 피니어스는 현장에서 일어난 폭파로 인해 창 모양의 쇠막대기가 왼쪽 광대뼈와 머리 앞부분을 관통하는 사고를 당하게 된다. 너무나도 큰 사고를 겪었음에도 피니어스는 기적처럼 살아났다. 또한 수학적 계산을 하는 것도 문제가 없었으며 말을 하거나 노래를 하는 등 신체능력도 회복하였다. 너무나 큰 기적이었다.

그러나 사고 후 크게 달라진 점이 딱 하나 있었다. 평소 유머러스하고 다른 사람과도 좋은 관계를 유지했던 피니어스가 사고 후에는 다른 사람과 말다툼을 자주 하고 감정조절을 못했으며 충동적인 모습을 보였다는 것이다. 결국 피니어스는 사람들과 잦은 말다툼으로 갈등을 빚었고 자주 직장을 옮겨다녔다. 피니어스의 사례를 통해 뇌과학자들은 인간의 감정에 관여하는 전두엽이 사회적 상호작용에 중요한 부위라는 것을 알게 되었다. 사고로 전두엽이 파괴된 피니어스는 원래 가지고 있던 감정조절 능력을 상실하여 그렇게 폭력적인 모습을 보이게 되었던 것이다. 즉, 사회적 상호작용에 중요한 것은 감정조절 능력이다.

또 하나의 역할, 의사결정자

뿐만 아니라, 감정은 합리적 의사결정을 내리는데 중요한 역할을 한다. 한 예로 우리는 극도로 화가 나거나 흥분이 되어 있는 상태일 때 올바른 판단을 내리기가 어렵다. 시간이 지나서 흥분이 가라앉으면 '내가 그때 왜 그랬을까?' 하며 후회하곤 한다. 그러나 감정을 무시한 이성적 결정이 무조건 좋은 결정이라고 하기도 어렵다.

신경과학자 안토니오 다마지오(Antonio Damasio)는 감정이 의사결정과 연관이 있다는 것을 보여준 학자 중 한명이다. 다마지오 교수는 수십년간 신경과학을 연구하고 수많은 실험을 통해 감정이 이성적 판단과 의사결정에 중요한 영향을 미친다는 것을 보여주었다. 실험에서 다마지오 교수는 전전두엽과 편도 간 뇌손상을 입은 환자들을 관찰하면서 이들이 간단한 의사결정에서도 엄청난 결함이 있음을 알게 되었다. 그는 이런 환자들의 결정장애가 무엇 때문인지 연구하게 되었고, 환자들은 모두 IQ나 지능에는 문제가 없었으나 감정을 느끼지 못한다는 것을 발견하게 되었다.

'엘리엇'(Ellitot)은 다마지오 교수의 환자 중 한명이었는데, 뇌종양 때문에 전두엽 부근의 종양을 제거하는 뇌수술을 받은 환자였다. 엘리엇의 수술은 매우 성공적이었으며 논리력이나 기억력 등 지능에도 문제가 없었다. 다만 수술 후 달라진 점은 바로 결정장애였다. 그가 고민하는 것은 아주 중대한 결정을 두고 고민하는 것이 아니라 일상의 사소한 결정에 있어서 끊임없이 괴로워하며 끝내 결정을 내리지 못했다. 예를 들면 주차를 어느 곳에 할지, 가족과 함께 저녁식사를 하기 위해 식당을 예약하는 것, 약속 날짜를 잡는 것과 같은 결정이었다. 정상적인 지능을 가졌음에도 그는 왜 결정을 내리지 못하는 것일까?

엘리엇은 자신에게 일어난 일과 가까운 사람들에게 일어난 비극적인 일에 무감각했다. 슬프거나 힘든 기색없이 아주 냉정하게 말을 했다. 엘리엇과 유사한 증상을 보이는 다른 환자들을 비교하고 관찰했을 때도 마찬가지였다. 다마지오 교수가 연구한 의사결정을 내리지 못하는 사람들은 공통적으로 모두 무감각했으며 이는 감정에 관여하는 전두엽에 손상을 입었기 때문이었다. 전두엽의 손상으로 감정을 느낄 수 없었으며, 감정을 느끼지 못하고 무감각한 사람들은 사소한 결정조차 내리지 못하였다.

이 연구의 결과는 이성적인 판단과 감정 중 무엇이 더 중요한지 이분법적으로 나눌수 없음을 증명하였으며 감정 또한 합리적인 판단과 의사결정에 매우 중요한 요소라고 보았다. 자, 그렇다면 본격적으로 감성지능의 요소에 대해 살펴보기로 하자.

02
솔직함은 자기인식에서 나온다

차민영 과장은 오늘도 작게 한숨을 쉰다. 신입사원이 들어오면 매번 자신을 변명해주는 대리님이 그닥 고맙지는 않기 때문이다. 아니 오히려 짜증스럽다. "진짜 수술이라도 해야 하나.." 약간은 올라간, 남들은 매력이라고 말하는 그 눈매가 차과장은 맘에 들지 않는다.

사실 스스로가 보는 자신은 매우 따뜻한 사람이다. 사람들을 도와줄 때 가장 보람되고, 누군가의 감정을 읽어내는 것이 자연스러워서 남몰래 눈물도 많이 흘린다. 주변에 사람을 많이 챙기는 것 만큼 남들도 자신을 챙겨줬으면 하고 바랄 때도 은근히 많다.
그런데 아무래도 외모가 문제인 것 같다. 매번 신입사원이 들어와서 사수에게 하는 말을 들으면 "차과장님은 정말 무서운 분 같아요. 일도 잘하시고 도도해 보여서 실수하면 크게 혼날 것 같아요" 라는 말들을 뱉어낸다고 한다.

매번 오해를 받는 것이 속상해서 예전에는 변명도 많이 했는데, 이제는 그것조차 지쳐 외모를 바꿔야 하나 심각하게 고민중이다. 그러다 문득 누군가가 무심코 던진 말에 뒤통수를 맞은 듯 얼얼했다.

"문제는 외모가 아니라 너의 표정인 것 같은데?"

내가 아는 나 vs 남이 아는 나

사람을 처음 만나는 순간에는 그 사람이 어떤 사람인지 정확히 알기 어렵다. 단순히 상대방의 표정이나 인상, 분위기를 보고 "저 사람은 고집 있어 보인다", "참 따뜻한 사람 같아" 라고 추측할 수 밖에 없기 때문이다. 평소 표정의 변화가 별로 없고 웃음이 없는 사람은 무뚝뚝하고 냉정한 사람으로 인식되기 쉽다. 하지만 그 사람과 관계를 맺고 지내다보면 첫 인상과는 다르게 타인을 배려하고 정이 많은 사람일 수 있다. 반대로 인상이 선하다는 이야기를 자주 듣는 사람이 주변 사람들에게 비난의 말을 자주 퍼붓는 사람일 수도 있다. 스스로 생각할 때 나는 어떤 성격과 특징을 가진 사람이라고 설명할 수 있을까? 또 다른 사람들은 나를 어떤 사람으로 생각하고 있을까?

감성지능에서 가장 중요한 영역이라 할 수 있는 자기인식은 스스로 솔직한 감정상태나 변화에 대해 자각하는 능력이다. 나의 감정을 잘 이해하는 사람이 다른 사람의 감정도 잘 헤아려줄 수 있기 때문이다. 음식도 먹어본 사람이 잘 한다는 말이 있듯이 감정도 자신이 느껴봐야 어떻게 대해야 할 지 알 수 있다는 뜻이다.

자기인식 수준이 뛰어난 사람은 자신의 내면 상태가 어떤지, 자신으로 인해 다른 사람에게 어떤 영향이 가는지 잘 아는 사람이다. 또한 이들은 좋지 못한 상황에서 지나치게 비관적이거나 혹은 정반대인 상황에서 지나치게 낙관적이지도 않다. 현재의 상황을 객관적으로 바라볼 줄 알기 때문에 자신을 다른 사람들이 어떻게 생각하는지 이해하고 조절할 수 있다. 미국의 심리학자 티샤 유리치(Tisha Eurich)박사는 자기인식이 높은 사람이 문제를 효과적으로 해결할 수 있으며 리더십 또한 성공적으로 발휘할 수 있다고 말했다. 그녀는 자기인식을 내적 자기인식과 외적 자기인식 두 가지 측면으로 구분하였는데, 내적 자기인식에는 나의 감정, 가치관이나 삶의 목적 등을 파악하는 것뿐 아니라 감정과 약점의 파악도 자기인식이라고 보았다. 그러므로 내적 자기인식을 높인다면 자신의 행동이나 선택에 대한 책임을 느끼고, 방향을 설정할 수 있으며 개인적인 성장을 가져올 수 있게 된다고 주장한다.

이와 반대로 외적 자기인식은 외부에서 나를 어떻게 생각하고 있는지를 이해하는 것이다. 외적 자기인식이 높은 사람은 다른 사람들의 반응이나 의견을 주의 깊게 관찰하고 그에 따라 행동이나 의사소통을 조절할 수 있다. 조직 내에서는 당연히 좋은 인간관계를 유지할 수 있는 비결일것이다. 티샤 유리치에 의하면 둘 중 어느 한 가지가 아닌 내적, 외적 측면이 모두 발달되어야 하고 상호보완적이여야 전체적인 자기인식이 향상된다고 말했다.

내적 자기인식 (Internal Self Awareness)

감정, 욕구, 가치관, 삶의 목적, 동기, 감정과 약점 등을 파악하는 것

외적 자기인식 (External Self Awareness)

다른 사람들의 시각에서 그들이 나를 어떻게 보는지 이해하는 것

'내가 아는 나'와 '다른 사람들이 생각하는 나'는 같은 사람일 리 없다. 조직에서 리더가 쉽게 빠지는 함정은 리더 스스로가 팀원들과 편안하게 지내는 사람이고 허물이 없다고 생각한다는 것이다. 하지만 팀원들의 입장은 다를 수 있다. 팀원들은 그 리더를 다가가기 어렵고 무서운 리더로 인식하고 있을지도 모른다. 혹은 말과 행동이 일치하지 않거나 실수를 인정하지 않는 리더라고 생각할 수도 있는 일이다. 우리가 경계해야 할 것은 이것이다. 스스로를 객관적으로 바라보는 자기인식이 필요한 이유다.

자신을 객관적으로 보기 위한 다양한 진단 툴이 있지만, 우리는 여기서 간단한 지표를 소개하고자 한다. 아마 조직 생활을 좀 겪었다고 자부하는 사람들은 '조하리의 창(Johari's window) 에 대해 한 번쯤 들어보았을 것이다. 나와 상대방의 관계 속에서 내가 어떤 상황인지 깨닫고 개선의 방법을 찾는 자기이해 모델로 탁월한 조하리의 창 이론은 조셉 루프트(Joseph Luft)와 해리 잉햄(Harry Ingham)이라는 두 심리학자의 이름을 조합하여 만든 이론인데, 사람마다 창의 크기나 모양이 다 다르다는 것을 전제로 한다. 잠깐 읽기를 멈추고 나의 창을 체크해보자.

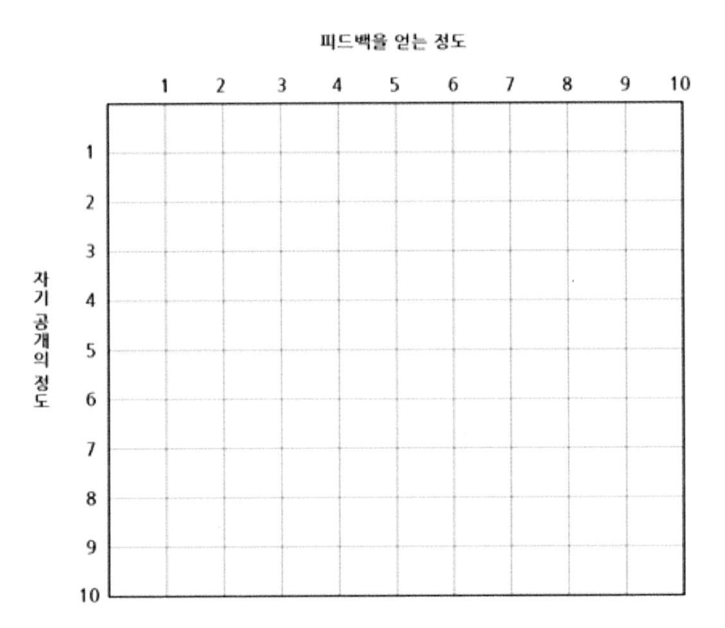

[진단방법]

1. 자기를 공개하는 정도의 점수를 확인하여 가로 획을 긋는다.
(다른 사람에게 나에 대한 이야기를 하거나 드러내는 정도)

2. 타인의 피드백을 얻는 정도를 확인하여 세로 획을 긋는다.
(타인이 나에 대해 하는 생각, 말, 평가가 무엇인지 아는 정도)

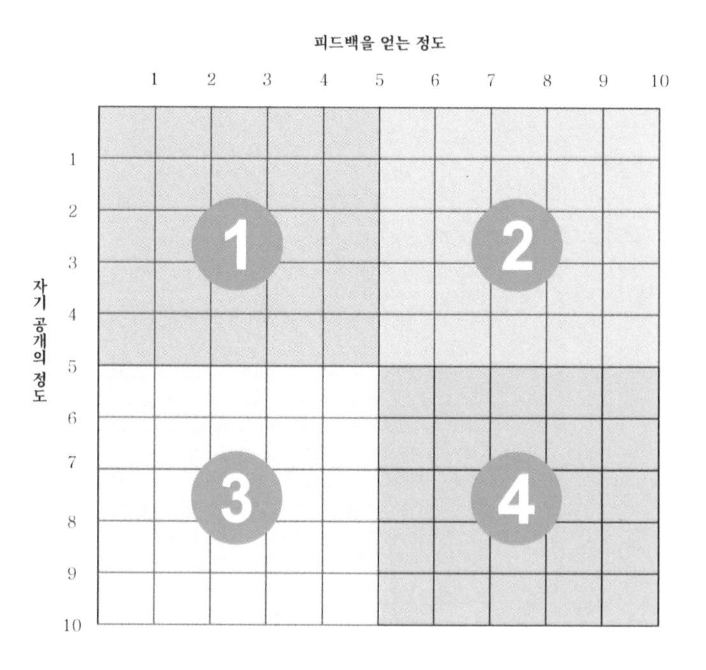

첫 번째 창은 공개가 된 영역이다(Open Area). 나에 대한 정보 즉 성격, 좋아하고 싫어하는 것, 감정 등을 다른 사람에게 말하고 표현했을 때 서로 알고 있는 사실들이다. 어디까지 개방하느냐는 개인마다 차이가 있지만 이 영역이 넓은 사람은 다른 사람이 나에 대해 파악하기가 쉬우며 개방적인 의사소통이나 관계를 맺을 확률이 높다.

두 번째 창은 나만 모르는 영역이다(Blind Area). 다른 사람은 나에 대해 잘 알고 있는데 정작 나 자신만 모르는 것도 있다. 이 영역이 넓으면 본인이 얼마나 능력있고 매력적인 사람인지 모른채 자존감이 바닥인 사람도 있고 반대로 본인을 과대평가하는 경우도있을 수 있다.

세 번째 창은 내가 일부러 숨기는 영역이다(Hidden Area). 나의 단점이나 버릇과 같은 것을 다른 사람이 알게 되는 걸 원치 않으므로 말하지 않거나 그러지 않은 척 행동할 수 있다. 이 영역이 넓은 사람은 신중한 성격이기도 하지만 자신을 잘 드러내지 않기 때문에 상대방은 쉽게 다가오지 못할 수 있다. 속마음을 잘 드러내지 않는 현대인들은 이 창의 크기가 넓은 사람들이 많다. 이런 사람들은 솔직하게 자신을 개방하여 다른 사람과의 교류가 더 필요하다.

네 번째 창은 알려지지 않은 무의식의 영역이다(Unknown Area). 어린 시절 트라우마 같은 것을 포함하여 부정적이거나 충동적인 모습이 내 안에 무의식적으로 있는 것이다. 이 영역이 크다면 스스로에 대한 이해가 부족하다고 말할 수 있으니 지속적인 자기 이해와 성찰이 필요하다.

리더의 공개된 창을 넓히는 방법

먼저 숨겨진 창 영역을 좁히는 것, 바로 자기 공개와 자기 표현을 많이 하는 것이다. 공개된 창 영역이 넓다고 무조건 좋은 것은 아니지만 리더가 이 창이 너무 좁다면 알 수 없는 사람이 된다.

'공동주의자 가설'을 들어본 적이 있는가? 진화론적 관점에서 보면 사람의 눈에 있는 흰자의 역할이 있다. 흰자는 검은 눈동자의 움직임과 대조되기 때문에 내 감정과 의도를 다른 사람에게 쉽게 감지시키고 전달하는데 도움을 준다. 눈은 감정표현에 있어 중요한 부분이며 흰자가 이런 감정표현을 더 정확하게 만들어주었을 것이라고 의미다. 결국 인간은 명확한 감정 전달로 소통의 정확성을 높이면서 생존과 번식을 할 수 있었고 사회적 동물로 발전할 수 있었다. 즉, 나의 생각과 감정, 의도를 잘 드러내는 것이 다른 사람과 상호작용을 더 효과적으로 할 수 있는 것이므로 '속을 알 수 없다', '좋은 사람 같은데 어떤 사람인지 모르겠다'라는 얘기를 듣는 것은 결코 리더에게 좋은 상황이 아니다. 어떠한 상황에서 자신이 느끼는 솔직한 감정이나 상황 등을 상대방에게 개방한다면 상호 간 오해가 발생하지는 않을 것이다. 그리고 팔로워들이 리더의 성향에 대해 예측이 가능하니 갈등의 소지도 줄어들 수 있다.

두 번째 방법은 다른 사람들에게 피드백을 요청해 정작 나만 모르는 보이지 않는 창의 영역을 좁히는 것이다. 조직에서 360도 다면평가를 하는 이유 중 하나도 이러한 피드백을 제도적으로 받기 위한 수단 중 하나이다. 타인은 나에 대해 객관적인 시각을 가질 때가 많으며 여러 사람에게 받는 피드백은 다양한 측면에서 나라는 사람을 살펴볼 수 있다. 다른 사람들에게 받는 피드백을 열린 마음으로 받아들이고 어떤 부분에서 말과 행동의 개선이 필요한지 객관적으로 판단할 수 있다면 큰 도움이 된다.

앞서 언급된 차과장의 사례를 생각해보자. 차가운 사람으로 비춰지는 차과장은 다른 사람들의 지속적인 피드백을 들었을 것이다. 그러나 처음에는 피드백을 수용하거나 다방면으로 고찰하기 보다 서운함과 경계심을 늘려갔다. 어떤 계기로 인해 사고의 전환이 일어났다면, 겸허히 받아들이고 실제 내면의 따뜻함을 알리기 위한 말과 행동에 변화가 있어야 할 것이다. 필요하다면 상황을 정확하게 이해하기 위해 대화가 필요할 수도 있다. 피드백을 하는 사람의 생각을 오해하지 말아야 하기 때문에 자신이 제대로 이해한 것이 맞는지 확인하는 대화나 상황 파악을 위한 추가 질문 역시 필요하다.

타인에게 피드백을 한다는 것을 정말 쉽지 않은 일이다. 특히나 상하관계에서 하급자가 솔직하게 나에 대한 이야기를 했다면 그는 상당한 고민을 거친 후에 한 말일 가능성이 높다. 그러므로 피드백을 받을 때에는 중요한 사항임을 인지하고 상대방에게 고마운 마음을 가져야 한다. 피드백을 수용하는 것은 개인의 성장과 발전에 있어 매우 중요한 부분이다. 지속적인 성장과 발전을 위한 핵심 요소이므로 개선의 의지를 가지고 건설적으로 활용하는 것은 매우 중요하다.

매일 실천하는 감정관리

나 자신의 감정을 이해해야 하는 이유는 분노, 우울, 불평 등 부정적인 감정으로부터 잘 다스리기 위해서이다. 화가 났다면 화가 난 나 자신을 깨달을 수 있어야 하고 화가 난 원인을 파악할 수 있어야 한다.

최근 정신건강의학과의 간호사가 환자들과의 이야기를 다룬 드라마를 보았는데 유독 마음에 남는 에피소드 중 하나가 있었다. 바로 우울증에 걸린 워킹맘에 대한 이야기였다. 드라마 속 워킹맘은 직장에서 우수한 성과를 내는 멋진 커리어우먼 이었지만 한편으로는 학교폭력으로 힘들어하는 자녀를 케어하기 위해 최선을 다해야 했다. 알고 있다시피 일과 육아를 동시에 잘 해내기란 여간 어려운 일이 아니므로 역시나 드라마 속 주인공도 정신적 어려움이 많았다. 학교 문제로 고통받는 자녀를 위해 정신건강의학과에 방문한 워킹맘은 오히려 본인의 우울증 진료를 권유받고 입원을 한 그녀에게 지금까지 인생을 살아오면서 굵직한 사건들을 적어내는 치료를 받게 한다. 그 사건에서 어떤 감정을 느꼈는지를 기록하게 하고 부정적인 감정을 느꼈던 순간은 따로 색을 칠해보라고 요청한다. 결과적으로 여성은 자신의 감정을 돌보지 못한 것을 자각하게 되는 내용이었다. 이렇게 소리없이 찾아오는 우울증상은 어쩌면, 매일의 일상 속에서 자신의 감정을 인지하지 못한 것에서 시작되는 것이 아닐까?

분노					분노				
격분한	공황에 빠진	스트레스 받는	초조한	충격받은	놀란	긍정적인	흥겨운	아주 신나는	황홀한
격노한	몹시 화가난	좌절한	신경이 날카로운	망연자실한	들뜬	쾌활한	동기부여된	영감을 받은	의기양양한
화가 치밀어오르는	겁먹은	화난	초조한	안절부절 못하는	기운이 넘치는	활발한	흥분한	낙관적인	열광하는
불안한	우려하는	근심하는	짜증나는	거슬리는	만족스러운	집중하는	행복한	자랑스러운	짜릿한
불쾌한	골치아픈	염려하는	마음이 불편한	언짢은	유쾌한	기쁜	희망찬	재미있는	더없이 행복한
역겨운	침울한	실망스러운	의욕없는	냉담한	속편한	태평한	자족하는	다정한	충만한
비관적인	시무룩한	낙담한	슬픈	지루한	평온한	안전한	만족스러운	감사하는	감동적인
소외된	비참한	쓸쓸한	기죽은	피곤한	여유로운	차분한	편안한	축복받은	안정적인
의기소침한	우울한	뚱한	기진맥진한	지친	한가로운	생각에잠긴	평화로운	편한	근심걱정 없는
절망한	가망없는	고독한	소모된	진이빠진	나른한	흐뭇한	고요한	안락한	격분한
슬픔					만족감				

세로축: 활력 (5 ~ -5) / 가로축: 쾌적함 (-5 ~ 5)

출처: 마크 브레킷 '감정의 발견'

감정상태를 인식하고 측정할 수 있는 도구 중 하나인 무드미터(Mood Meter)는 제임스 러셀(James Russell) 교수의 감정모형을 토대로 만들어진 것인데 감정을 인식할때 도움을 받을 수 있는 유용한 도구다.

오늘 나의 감정을 떠올려보자. 대부분은'그냥 그렇다' 혹은 기분이 '좋다', '나쁘다'라고 이분법적인 대답이 떠오르는 것이 아마 일반적일 것이다. 국내 연구들을 살펴보면 한국인들의 감정을 나타내는 말은 4~5백개가 넘는다고 한다. 슬픔을 나타내는 단어로는 '구슬프다', '침울하다', '가엽다', '먹먹하다' 와 같은 단어가 있고, 지루함을 나타내는 단어로는 '갑갑하다', '귀찮다', '답답하다', '싫증나다' 등 다양하게 감정을 표현하는 말들이 있다. 그러나 우리는 대부분 감정을 얘기할 때 구체적이기보다는 몇 가지의 일반적 단어로만 대체하고 만다.

무드미터는 구체적으로 감정을 인식하도록 '쾌적함'과 '활력'을 중심으로 그래프화 하여 그 정도에 따라 감정을 나눈것이다. 활력과 쾌적도를 5점부터 -5점까지의 정도에 따라 전체 100가지의 감정을 분류하였는데 크게는 4가지 영역으로 나뉜다. 노란색 영역은 쾌적함과 활력이 모두 높은 상태의 감정을 나타낸다. 기쁘고 신나고 즐거운 감정이 대표적으로 분포되어 있다. 빨간색 영역은 활력은 높지만 쾌적하지 못하고 불쾌한 상태를 나타내는데 화가 나거나 초조한 감정과 같은 것이 모여있다. 파란색 영역은 활력도 쾌적함도 모두 낮으므로 슬프거나 의욕이 없고 우울한 감정에 해당된다. 마지막 초록색은 쾌적함은 높지만 활력은 낮은 영역으로 편안하고 만족스러우며 여유로운 상태의 감정을 보여준다. 우리는 흔히 기쁨과 만족은 같은 영역이라고 생각하기 쉬우나 무드미터에서보는 두 감정은 서로 다른 영역이다. 둘 다 쾌적함이 높더라도 활력의 정도가 다르기 때문이다. 예일대 감정 지능 센터장 마크 브래킷 교수는 두 감정의 차이를 설명할 때 다음과 같이 말했다.

"기쁨은 원하는 것을 얻었을 때 비롯되는 감정이지만
만족은 현재의 상태로도 완전하다는 느낌이다"

오늘 나의 감정은 무엇인가? 처음에는 1~2개의 감정도 떠올리기 어려울 수 있다. 그렇다는 것은 평소 나의 감정이란 것에 대해 관심이 없었다는 반증이 될 수 있다. 하루동안 다양한 일을 겪었던 우리가 설마 1~2개의 감정만 느끼면서 보냈을까? 위에 보여지는 무드미터를 활용해서 오늘 하루 어떤 감정을 느꼈는지 생각해보고 감정을 유발한 사건이나 원인이 있었는지, 그 감정은 당시 상황을 객관적으로 바라보고 문제를 해결하는데 도움이 되었는지 생각해보면 나 자신을 이해하는 데 큰 도움이 될 것이다. 만일 에너지가 더 남아있다면 그 사건에 얽힌 상대방에게 나의 감정이 어떻게 표현되고 어떠한 영향력을 주었을까 고민해보는 것도 매우 좋은 활용법이다.

오늘 나의 기분은 어떤가요?

만일 구체적인 기분의 단어가 떠오르지 않는다면 무드미터를 참고하여 단어로 표현해봅시다.

무슨 일 때문에 그런 감정이 생겼나요?

감정을 유발시킨 사건이나 나의 신념, 사고방식 등은 감정을 유발시키는 요소가될 수 있습니다.

그 감정은 문제를 해결하는데 도움이 되었나요?

그 감정은 나와 다른 사람과의 관계에 어떠한 역할을 담당하게 되었습니까?

03
자기관리가 뭐길래?

서용수 부장은 오늘도 침대에서 꿈틀대며 어떻게 하면 아무 일 없었던 듯이 평화롭게 거실로 나갈 수 있을지 머리를 굴려본다. 어제 거래처와 술을 거하게 마시고 겨우 집으로 돌아와 아내에게 한 소리를 들은 것 까지는 기억이 나는데, 그 다음은 까무러치듯 꿈 속으로 빠져들었던 것 같다. 이대로 나가면 아무래도 두 세시간은 따가운 눈총을 받아야 할 것 같다.

'최대한 아픈 표정으로 가서 아무렇지도 않게 냉장고에서 물을 꺼내고..' 서부장의 삶은 월화수목 금금금이다. 잘 먹고 잘 살기 위해서 누구보다도 가족을 고생시키지 않겠다는 일념하에 목표와 의지를 불태워 최선을 다하며 산다. 예전에는 이런 충성이 차기 리더로 점 찍히는데 혁혁한 공을 세웠지만, 요즘은 회사에서나 집에서나 눈치만 본다.

"하.. 이 배는 언제 이렇게 나온거야..
건강검진에서 뱃살 빼랬는데.."

잘 먹고 잘 살려고 열심히 살긴 했는데, 이제 와서 보니 집도 회사도 나에게 안정감을 주지 않는 것 같다. 아이들은 엄마만 찾고 회사에서도 젊은 사원에게 밀리기 일쑤이다. 게다가 요즘에는 자꾸 화가나서 사람들과의 관계도 삐걱대는 것 같다. 이러니 술을 안마시고 배기나..

자기 관리라는 말을 모르는 사람이 있을까? 우리는 모두 자기를 잘 관리하면서 산다고 자부하고 있다. 서점가에 가면 자기관리 및 계발서에 관한 책들을 손만 뻗으면 찾을 수 있고 휴대폰 앱 하나만 켜면 무수히 많은 사람들의 자기관리 명언을 들을 수 있다. 현 시대가 요구하는 역할들은 정말 다양하고 까다롭기에 스스로를 끊임 없이 채찍질 하고 견디며 살아가지 않으면 버텨낼 수 없는 세상이다. 특히, 직장은 다양한 자극들이 매 순간 덮치고 이것은 일상에도 영향을 미치게 된다. 그래서 사랑하는 가족들을 위해 책임을 져야 한다는 신념이 굳게 자리잡힌 사람일수록 자기관리를 더욱 신경쓰게 되는 것 같다.

하지만 환경이 변화할 수 록 책임의 무게는 점점 무거워져 견디기 어렵다고 느껴지는 한계점에 직면하게 된다. 타고난 스트레스 내성력에 따라 이러한 순간들을 극복해 나가는 것 또한 차이가 있다. 그래서 어떤 이들은 뼈를 깎는 노력으로 극한의 스트레스를 견디며 생존을 위한 성장을 준비하기도 하는 것이다. 삶이 이렇게 괴롭게 다가오기 전에 순간의 직면을 대비하기 위하여 우리는 스스로를 관리해야 한다. 그것이 자기관리의 진정한 의미다.

그런데, 자기 관리는 정확히 무엇을 관리해야 하는 것인지 생각해본 적이 있는가? 일반적으로 자기관리는 자신의 건강, 체력, 이미지 등을 가꾸고 살피는 일을 의미한다. 자기관리를 잘 하게되면 조직에서 성과를 높일 수도 있고, 전반적인 삶의 행복도 또한 높일 수도 있다. 그러니 자기관리를 한다는 것은 역량 있는 구성원의 당연한 상식처럼 회자되는 것이 당연하다.

그러나 요즘처럼 단순하지 않은 시대에 과하지도 모자라지도 않게 적절하게 자기를 관리하는 방법에 대해서는 고민이 많다. 우리는 한정된 시간과 자본을 가지고 살아가기에 선택과 집중을 해야 하고 머리로 아는 것을 실천하기에는 많은 의지와 전략을 필요로 한다. 특히나 리더로서 역할을 요구받는 사람들은 본인에 대한 관리 뿐 아니라 구성원의 관리 또한 필요한데, 어떻게 이 많은 일을 다 할 수 있을까? 아마도 자기관리의 필요성이 거듭 대두되는 이유는 너무 어려운 일이기에 역설적으로 더 크게 부상하는 것이 아닐까 싶다.

본 장에서는 자기관리 행위를 하기 위해 선행되는 핵심 사항에 대해 안내하는 장이다. 바로 자신에게 필요한 것, 부족한 것, 그리고 자신의 욕구 상태에 대하여 적절히 이해하기 위한 방법을 설명한다. 이것은 효율적 자기관리를 위한 기반이므로 스스로에 대한 탐색을 위하여 잠시 아래의 질문에 대해 생각해보자.

생각해봅시다

1. 더 만족스러운 내가 되기 위해 필요한 것은 무엇인가?

2. 조금 더 행복하려면 지금 나에게 부족한 것은 무엇인가?

3. 아래 피라미드를 참고하여 현재 나의 욕구상태가 어디에 머물러 있고, 어떤 단계가 부족한지 체크해보자.

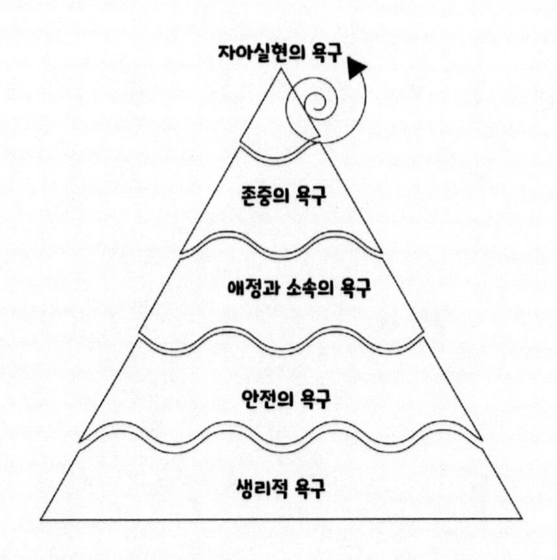

행복한 삶을 위한 'PERMA'

우리는 모두 정신적으로 건강하고 풍요로우며 행복한 삶을 원한다. 그렇기에 어떻게 하면 더 행복해질 수 있을까를 위해 '무엇을 할까'를 치열하게 고민한다. 지금 이 글을 읽고 있는 당신도 예외는 아닐 것이다. 그런데 그 노력에 비해 행복의 상승은 얼마나 일어났는지 측정이 가능한가?

쾌락과 행복을 구별하여 웰빙(well-being)을 이루기 위해 우리가 제안하는 것은 바로 감성 지능을 높이는 것이다. 즉, 뇌의 업그레이드를 제안하는 것이다. 특히나 조직에서 위치가 리더로 격상하게 되면, 좀 더 많은 긍정정서가 필요함에도 불구하고 빠른 소진이 이루어진다. 환경 자극이 그만큼 많아지기 때문에 그 자극을 수용할 만큼의 뇌 용량을 필요로 하는 것이다. 따라서 감성지능을 높이고자 하는 궁극적인 목적은 육체적·정신적 조화를 이뤄 더 많은 것들을 성취하고자 함이다. 심리학의 한 분야 중 긍정심리학이라는 학문이 있다. 정서지능을 개발하는 목적과 방향을 함께하며 연구가 이루어져 온 것인데 이 학문에 붙은 타이틀 때문에 이 학문이 행복을 위한 연구를 하는 것이라고 생각하는 경향이 있다.

행복은 상상하면 즐겁고 우리의 가슴을 따뜻하게 해주는 단어이지만, 보편적 행복이란 정의하기가 쉽지 않으며 다양한 해석이 가능하기에 서로 다른 의미를 동일 단어로 표현하는 오해를 발생시키기 쉽다. 그 한 예가 도파민 중독에 빠질 수 있는 자극적인 쾌락의 의미를 행복이라는 단어로 동일시 하는 것이다. 그러므로 리더는 지속가능한 '웰빙'을 이해하고 유지시켜야한다.

'웰빙' 이란 자신의 신체와 정신을 조화시켜 원하는 것을 성취하고 의미있게 사는 것을 추구하는 노력 자체를 말하기 때문에 도움이 되는 것은 유지하거나 증가시키고 도움되지 않는 것은 중단하거나 관리하는 모든 것을 포함한다.
이번 장에서는 리더의 웰빙 상태를 유지하고 관리하기 위한 PERMA 방법론을 제시하고자 한다. 현대 긍정심리학의 창시자이자 심리학자인 마틴 셀리그만이 제시한 'PERMA' 스킬은 긍정적 정서(Positive Emotion), 몰입(Engagement), 관계(Relationship),의미(Meaning), 성취(Achievement)의 머릿글에서 따온 약자이다. 먼저 그 의미를 자세히 알아보고 실천 방법에 대해 알아보도록 하자.

1. 긍정정서(Positive Emotion)

환경적인 자극에 대하여 긍정적인 평가를 내린 의식상태 또는 긍정적인 관점에서 과거, 현재, 미래를 낙관적으로 바라볼 수 있는 능력. 우리가 느끼는 것, 즉 기쁨, 희열, 따뜻함, 자신감, 낙관성 등을 말한다. 지속적으로 이러한 정서들을 이끌어내는 삶을 '즐거운 삶'이라고 한다.

셀리그만은 크게3가지로 구분하여 긍정정서를 얘기한다.

a. 과거의 긍정정서: 만족, 자부심, 성취감, 평안함, 감사, 용서

b. 현재의 긍정정서: 즐거움, 기쁨, 환희, 쾌락, 몰입

c. 미래의 긍정정서: 자신감, 신뢰, 신념, 낙관성, 기대감

이보다 더 간단하게 분류한 체계로 프레드릭스가 말하는 10가지 긍정정서 형태도 있는데 기쁨, 감사, 평온, 흥미, 희망, 자부심, 재미, 영감, 경이, 사랑으로 분류하는 것도 가능하다.

2. 몰입(Engagement)

자신의 행위에 완전히 빠져들어 최적의 경험을 갖는 상태를 의미한다. 몰입은 음악에 심취하기, 시간 가는 줄 모르는 것, 특정 활동에 깊이 빠져든 동안 자각하지 못하는것, 자발적으로 업무에 헌신하는 것을 의미하는데 이 요소를 지향하는 삶을 가르켜 '몰입하는 삶'이라고 한다. 칙센트미하이는 '힘은 들지만 자신의 능력으로 감당할 수 있는 임무'에 전적으로 빠져든 상태라고 정의하며 삶이 고조되는 순간에 행동이 물 흐르듯 자연스럽게 이루어지는 느낌을 표현한다고 했다.

어떤 활동에 빠져 시간이나 공간, 타인의 존재, 심지어 자신의 생각까지도 잊는 심리 상태이므로 동양에서는 이를 무아지경이라고 표현하기도 하는데 몰입을 즐기려면 몇 가지 특징을 아는 것이 중요하다. 첫째, 자신의 주의를 완전히 잡아끄는 명백히 도전적인 일이 있어야 한다. 둘째로 이 일을 감당할 만한 능력이 있어야 하며 마지막으로 각 단계마다 자신이 어떻게 하고 있는지에 대한 즉각적인 반응을 받을 수 있어야 한다.

3. 관계(Relationship)

타인과 함께 하는 것을 말하며 예시로 가족, 친구, 동료 등 타인과 맺고 있는 관계가 있다. '가장 행복한' 사람들은 평범한 사람 또는 불행하다고 느끼는 사람들과 확연히 다른 점 이 하나 있는데, 바로 폭넓은 인간관계다. 인간은 본질적으로 사회적 동물이며, 긍정적인 관계는 우리의 웰빙과 행복의 핵심이라 할 수 있기 때문이다. 개인적인 상황이든 업무적인 상황에서든 관계의 질은 우리의 경험을 형성한다. 그런데 이러한 긍정적 관계 구축은 자신을 이해하는 것에서 시작된다. 자신의 감정, 유발요인, 커뮤니케이션 패턴을 인식할 수 있도록 자기 인식을 키워야 타인의 감정을 이해하고 공유하는 능력의 토대를 마련할 수 있기 때문에 넓고 깊은 인간관계를 형성할 수 있다. 한번 생각해보자. 큰 소리로 웃었을 때, 말할 수 없이 기뻤던 순간, 자신의 성취에 엄청난 자긍심을 느꼈을 때를 생각해 보면 혼자서 있을 때인가? 아니면 타인과 함께 있을 때인가. 조직에서 리더가 된다는 것은 이러한 관계를 잘 조율하는 것을 포함한다. 그러므로 나의 성격적 특성, 가치관, 좋아하는 것 또는 잘하는 것 등 자신이 어떤 사람인지 알아야 한다. 아래 목록은 리더가 조직에서 긍정적 관계 형성을 위해 필요한 목록들이다.

a. 팔로워들과의 원활한 소통

b. 서로를 존중하고 이해하는 자세

c. 격려와 칭찬

d. 신뢰와 협력을 기반으로 한 목표추구

e. 문제를 정의하고 함께 해결책을 강구하는 것

리더는 이러한 목록들의 수행을 통해 긍정적인 관계를 형성할 수 있으며, 이는 조직의 효율성뿐 아니라 개인의 성과도 향상시킬 수 있다.

4. 의미 (Meaning)

'자아'라는 것보다 더 중요하다고 믿는 어떠한 관념에 대한 것이다. 우리는 그리한 관념에 기어하고 싶어 하는 고차원 정신이 있고 그러한 관념은 사람마다 다르다. 그렇지만 이러한 의미를 추구하는 삶을 살아가는 모두에게 '의미있는 삶' 이라는 수식어를 붙인다. 하나의 예로 자신의 '일의 가치'를 소명으로 여기는 사람들은 연봉이나 직장의 안정성 등에 휘둘리지 않고 현재의 삶을 의미있게 받아들인다. 그러나 반대의 경우 아무리 가치있는 일을 하고 있어도 자신이 의미를 두는 가치가 충족되지 않으면 현재의 삶이 아무런 의미가 없다고 받아들인다.

조직에서 자신의 일을 의미 있게 받아들이는 것은 동기를 유발하고 성과를 창출하는 것 뿐 아니라 다양한 면에 영향을 준다. 특히나 리더가 자신의 일과 역할에 적절한 가치를 부여하지 않으면 조직에 얽힌 여러가지 시스템과 맞물

려 내외부 적으로 적지 않은 영향을 끼치게 된다.

5. 성취(Achievement)

사람들은 성공, 성취, 승리, 정복 그 자체가 좋아서 그것을 추구하기도 한다. 다시 말해 우리가 흔히 얘기하는 것처럼 오직 이기기 위해서, 혹은 생존만을 위해서 사는 일차원적 존재는 아니라는 것이다. 사람의 뇌와 정신은 고차원적 연산을 수행하므로 자신의 업적, 즉, 확장된 형태로는 성취라는 것을 고대한다. 이렇듯 성취를 위해 자신의 업적에 전념하는 것을 '성취하는 삶'이라 부른다. 쉽게 말해서 인간은 퇴보보다는 진화가 유전자에 새겨져 있다.

성취는 그 자체로 행복과 즐거움을 제공한다. 어떤 목표를 세우고 이를 성취했을 때 행복하다고 느낀다. 열심히 공부해서 원하는 대학에 들어갔을 때, 열심히 절약해 꿈꾸던 내 집을 마련했을 때, 직장에서 인정받고 승진했을 때 행복한 감정을 느끼지 못하는 사람은 아마 없을 것이다. 그러나 성취를 위한 노력도 중요하지만 성격 특성의 역할도 중요한다.

'그릿(GRIT)'이라고 표현되는 이것은 장기적인 목표를 성취하기 위한 '끈기'와 '열정'을 의미한다. 이것은 강점으로 발휘되며, 이러한 특성을 함양하면 리더로서 좋은 영향력을 보여주는데 유용한 도구로 활용될 수 있다.

나만의 PERMA 실천 아이템 만들기

[P] 오늘 하루도 환경 자극에 휘둘리지 않고 긍정적인 감정을 가져오도록 노력한 하루였나요? 주로 어떤 정서를 가져왔나요?

◯ 과거 긍정정서 ◯ 현재 긍정정서 ◯ 미래 긍정정서

insight

[E] 오늘 나의 일 또는 취미생활(또는 일상생활)에 얼마나 몰입했나요?

◯ 많이 ◯ 보통 ◯ 적게

insight

[R] 오늘 나의 인간관계를 위해 노력했나요? 그리고 무엇을 했나요?

◯ 많이 ◯ 보통 ◯ 적게

insight

[M] 오늘 하루가 당신의 삶의 의미가 충족되는 삶에 가까웠나요?

◯ 그렇다 ◯ 보통이다 ◯ 아닌것 같다

insight

[A] 오늘 내가 성취한 업적에 대해 적어보세요.
아주 작은것도 좋습니다. 예를들어 오늘 '챗GPT의 새로운 기능을 하나 습득했다' 정도의 작은 성취라도 좋습니다.

insight

우리들 각자는 처해진 상황과 요구받는 조건들이 모두 다른 삶을 살아간다. 그러므로 나 자신만의 삶을 위한 PERMA 실천 아이템을 만들어 보면서 스스로를 점검해 본다면 자신을 객관적으로 볼 수 있는 유용한 도구가 될 것이다. 이 장은 출력하여 다이어리나 노트에 붙여넣고 자신을 관리하는 도구가 된다면 매우 바람직하게 이용할 수 있다.

04
리더의 도파민 관리

임영민 선임은 올해 5년차 직장인이다. 첫 신입사원 시절을 꼽으라면 까마득히 기억이 멀어질 정도로 감각이 무뎌진다. 10년이 넘은 고등학교 생활도 간간이 기억이 나는데 이상하게 신입사원 시절은 남 이야기를 듣는 것처럼 까마득하다. 신입사원 때는 엄청난 열정이 있었다 하던데 정작 자신은 그런적이 없었던 것 같다.

'아등바등..전전긍긍.. 쥐꼬리 월급에 뭘 인생을 걸어..어짜피 회사라는 건 저임금으로 고노동을 충당하면서 굴러가는 곳인데, 나만 호구될 순 없지.'

얼마 전 공표된 포괄임금제에 가뜩이나 분이 풀리지 않은 임선임은 앞으로 절대 야근이란 것은 하지 않겠다고 독하게 마음먹었다. 그래도 씁쓸하고 외롭고 손해보는 느낌에 분이 풀리지 않아 오늘도 양 손에는 알싸한 알콜들과 단짠의 정석인 안주들이 무겁게 들려져 있다. "꿀꿀할 땐 이게 최고지! (클릭). 별풍선 좀 날려줄까?"

그렇게 한참 흥을 내다가 떨어진 알콜을 보충하러 편의점에 가는데 복권집이 보인다. 충동적으로 로또를 하나 산다. 1등이 되면 무엇을 할지 상상하다 유튜브를 열어본다. 한참을 웃다가 내일 회사에 갈 생각에 한숨 쉬며 잠이 든다.

너무나 많은 자극 속에 사는 현대인들은 휴대폰 하나로 기분을 좋게 만들 수 있는 너무 편리한 시대 속에서 살아간다. 뇌가 즐거운 자극을 원할 땐 즐거운 컨텐츠 하나로 즉각적인 폭소를 유발할 수 도 있고, 눈물이 필요할 때에도 클릭 한번으로 눈물이 주르륵 흐르는 컨텐츠를 당장에 찾아낼 수 있다. 심지어 그러한 컨텐츠를 리뷰해주는 리뷰어들도 성행하기 때문에 오히려 방법을 못찾고 힘겨워 하는 것이 이상해 보이는 시대다. 이렇게 방법들이 많은데 왜 국민행복지수는 높아지지 않는 걸까? 이미 눈치챘다시피, 이것은 행복감이라기 보다 일시적인 쾌락이기 때문이다. 일회용은 유통기한이 있다. 그리고 한번 사용하며 다시 사용하지 못한다.

도파민이라는 호르몬에 대하여 많이 들어보았을 것이다. 도파민은 인간 뇌에서 발생하는 신경전달물질이다. 어떠한 자극이 주어질 때보상을 얻을 수 있도록 동기를 부여하는 호르몬이므로 도파민이 분비되면 기분이 좋아지고, 만족스러운 느낌이 든다. 예를 들어 무료할 때 입에 달달한 초콜릿이 들어가면 기분이 좋아지도록 도파민이 분비되는 것이다. 인간이 살아가는 뇌 활동 메커니즘이므로 약한 도파민 분비 활동들에 대해서걱정을 할 필요는 없다. 그러나 무엇이든 과한 것은 문제를 일으키기 마련이다. 특히나 음식과 관련된 도파민 분비는 비만이라는 음식 섭취 중독으로 이어질 수도 있고, 운동과 관련한 과한 도파민 분비도 운동 중독으로 이어지게 만들 수 있는 것이다. 도파민이 주는 쾌락은 언제나 반대급부가 존재한다.

스탠퍼드대학교 의과대학의 중독치료센터 소장인 애나 렘키 교수에 따르면, 인간의 뇌는 자기조정 메커니즘에 따라 쾌락적 자극 후에는 반대인 고통이 따르게 된다고 한다. 간단한 예로 금단 증상을 생각해 보면 흡연이 주는 안온함

뒤에 생각지 못한 고통이 오지 않던가. 그래서 우리는 다시 흡연자의 길로 들어서게 된다.

오랜 시간 혹은 지속적이거나 반복적으로 쾌락 자극에 노출된다면, 이전에 느꼈던 쾌락의 자극보다 더 강한 자극이 있어야만 한다는 연구도 있다. 사회과학자 리처드 솔로몬과 존 코빗은 이러한 주장을 하면서 내성(Tolerance)이 생겨 점점 더 강한 자극을 주는 활동에 집착하게 되는 패턴에 경고를 한다. 우리는 감정적으로 힘든 상황에 처했을 때 기분 전환을 위하여 다양한 활동을 한다. 술을 마시거나 폭식을 하기도 하며, 과도한 소비 활동을 하기도 한다. 하지만 근본적인 원인이 해결되지 않는 상황 속에서는 반복되는 패턴만 생성될 뿐 내성으로 인한 불건전한 상태로 빠져들 수 있다. 이미 미국 등의 선진국에서는 더 많은 도파민을 찾아 마약이나 도박과 같은 자극도가 높은 행위를 시도하기도 하는데 우리나라도 이제 안전지대라고 보기 어렵다.

도파민 결핍 상태가 되면 감정적으로 불안정하며 충동적인 행동을 하기 쉽고, 어떠한 일에도 감사함을 느끼지 못하는 무감각한 상태로 자연스럽게 이어진다. 샌디에이고 주립대학의 마크 셔킷에 따르면 상태의 호전을 위하여 일반적으로 최소 4주 이상의 금단 기간이 필요하다고 하는데 얼마나 고통스럽겠는가. 시작하지 않는 것이 최선이라고 해도 현대 사회를 살아가는 우리에게는 자극적 사진, 영상, 광고, 화학물질 등과 같이 강한 도파민적 자극을 줄 수 있는 것들에 쉽게 노출될 수 있기에 스스로를 관리하는 것은 필연적이다. 연구에 의하면 현대인의 생물학적 뇌 구조는 3만 5,000년 전의 크로마뇽인의 것에서 크게 진화하지 못했다고 한다. 어쩌면, 우리의 뇌는 여전히 그 시대와 비슷한 방식으로 작용하고 있기에 현대 문명에 반응도가 떨어지는 것일지도 모른다. 운동이나 학습과 같이 높은 수준의 노력과 고통을 기울여야 받을 수 있는 보상은 극단적인 경우가 아니라면 쉽게 도파민적 중독 현상으로 빠져들지 않는다. 이는 과거에는 엄청난 노력을 기울여야 얻을 수 있는 보상을 너무나 쉽게 얻는 현대사회의 부작용이라 생각할 수 있을 것 같다. 감정적 안정 상태를 유지하며 감성지능을 최대한으로 발휘하기 위해서는 이러한 도파민적 자극에 대한 자기관리를 위해 노력을 기울여야 한다.

리더가 실행해야 할 자기관리로서 우리가 제안하는 것은 유산소 운동이다. 신경심장학(Neurocardiology) 분야에서는 심장에서 보내는 신호에 의하여 감정 변화와 인지능력과 같은 뇌의 활동에도 영향을 미칠 수 있다고 증명하고 있다. 특히, 감정의 변화는 심장박동수에 큰 영향을 받기 때문에 감정의 관리를 위해서 심폐기능을 증진시키는 것도 도움이 된다는 것이다.

도파민적 중독 상황 또는 부정적 경험에 따라 불안정 상태가 회복되지 못하고 지속적으로 이어지면, 이후에는 자연스럽게 우울증 증상으로 이어지게 되기도 한다. 이는 학습능력, 집중력, 활기, 의욕을 떨어뜨리며, 심해질 경우 기본적인 생존을 위한 욕구조차 거부하게 될 수 있으므로 주의해야 한다.

미국의 심리학자인 제임스 블루멘솔(James Alan Blumenthal)은 우울증 증상이 확인된 환자 156명을 대상으로 16주 동안 항우울제와 걷기, 달리기의 효과를 비교하는 실험에서 걷기와 달리기와 같은 유산소 운동이 항우울제인 졸로프트 수준의 효과가 있다는 효과를 확인했다. 사실, 달리기를 규칙적으로 하게 되면 달릴 수 있는 상태로 적응하기 위해 몸 스스로가 변화를 일으키는 것을 체험하게 되는데 이는 현대 사회의 편안함으로 인해 도태되어버린 상태로부터 인간 본연의 자연스러운 상태로 회복하는 것이다. 먼 과거에 인류의 사냥 방식은 장거리 달리기였다. 땀구멍이 없어 열을 쉽게 식히지 못하는 짐승들은 일정 거리 이상을 달리면 체내 온도가 과열되어 열사병에 빠져 혀를 내밀고 쓰러지지만 인간은 그렇지 않았기에 계속된 장거리 추격으로 지치게 만들어 사냥할 수 있었던 것이다. 인류의 자연스러운 생존 방식이었던 달리기는 안정적인 심장박동수를 유지하는데 도움이 될 뿐만 아니라 우리의 감정 변화와 인지능력과 같은 뇌 활동에 긍정적 영향을 준다. 도파민 관리와 함께 인간이 최적의 상태로 살아갈 수 있도록 해 주는 달리기. 하지 않을 이유가 있겠는가.

두 번째 자기관리 방법으로서 권하고 싶은 방법이 있다. 바로 '마음챙김'이다. 사람에 따라 호불호가 갈리는 경우가 많지만 제대로만 한다면 누구나 정서를 안정시키고 자신을 객관화시키는데 크게 도움이 되는 방법이다.

우리는 너무나 많은 자극을 받고 산다. 이 사회를 살아간다는 것은 누적되는 자극을 관리하고 제 때에 풀어내는 일이 전부라고 해도 과언이 아닐 정도로 중요하고 어려운 일이다. 우리는 이 자극을 스트레스라고 부르며 이로 인한 감정조절에 실패하게 되면 경력상 오점 뿐 아니라 자신의 능력조차 의심하게 된다. 얼마 전 '리더로 승진을 원하는 구성원이 없는 지금' 이라는 기사를 본 적이 있다. 말 그대로 조직에서 더 높은 자리에 올라갈 의지가 없다는 것인데 이유인즉슨 신경써야 할 것이 더 많고 보상은 부족하기 때문이란다. 그래서 조직의 허리는 앞으로도 늘 부족할 것이라는 전망이다. 그렇지만 너무 이상하지 않은가? 우리는 모두 더 많은 돈과 더 많은 권력, 혹은 인정을 원한다. 조직에서 리더로 승진하는 것 만큼 욕구를 충족시켜주는 것이 없을텐데 왜 본심과 행동은 다를까? 우리는 이것을 '자기관리의 딜레마'에서 찾는다.

리더는 자기 뿐 아니라 팔로워를 잘 관리해야 한다. 그러나 너무나 다양한 구성원들을 대함에 있어 겪는 어려움들은 고스란히 자극으로 다가오고, 제때 해결되지 못한 자극은 정제되지 못하고 순식간에 터져 나오게 된다. 충동적인 감정발산으로 이어지게 되는 행동으로 오랜 시간 동안 쌓아 왔던 신뢰를 잃게 만들거나 공들여온 성과를 물거품으로 만든다. 즉, 이를 감수하고 욕구만을 찾기 위해 승진을 바라기에는 너무나 가성비가 좋지 않다. 이 시대의 똑똑이들은 조직에서 가성비보다 일상에서 가성비를 더 찾을 수 밖에 없는 이유이다. N잡러의 의미도 이와 같지 않을까?

리더는 이를 경계하기 위해서 마음챙김을 필수로 훈련해야 한다. 마음챙김기반 스트레스 관리 프로그램인 MBSR(Mindfulness based Stress Reduction)의 창안자인 존 카밧진 박사는 마음챙김에 대해 '의도적으로 현재 순간에 비판단적으로 주의를 기울이는 것' 이라고 말한다. 즉, '고정관념과 편견에 사로잡히지 않고 있는 그대로를 바라볼 수 있도록 의도적으로 노력을 기울이는 것'을 말하는 것이다. 우리는 누구나 자신의 경험과 학습해 온 환경그리고 문화적 배경 때문에 동일한 상태를 다르게 인식할 수 있다. 이 상태는 그 자신에게 도움이 되는 방향으로 인식되면 바람직하지만, 많은 경우 부정적 상상이나 심하게는 망상으로 이어지기도 한다. 그러니 현재의 상태를 있는 그대로를 바라보고 건설적으로 문제 해결에 집중하면서 건강한 정신을 유지할 수 있다면 얼마나 많은 문제들이 해결될 수 있을지 생각해본 적이 있는가?

그렇다면, 이 시점에서 생각해 보아야 할 것이 있다. 과연 마음은 무엇인가. 노스케롤라이나 내학의 바바라 프레드릭슨(Barbara L. Fredrickson) 교수는 부정적 감정 상태에서는 더 좁은 관점으로 상황이나 사물을 바라볼 수 있다

생각해봅시다

1. 당신이 생각하는 마음이란 무엇인가요?

2. 마음은 어디에 있으며 어떤 기능을 하는 것이라고 생각합니까?

고 말한다. 이를 반대로 유추하면 건강하고 긍정적인 정신을 유지하도록 마음을 인식하며 관리하면 상황이나 사물을 '있는 그대로' 바라보도록 도움을 줄 수 있다는 것을 의미한다. 편견과 고정관념에 사로 잡히거나 좁고 편협한 관점에 매몰되지 않은 상태에서 문제 상황을 인식할 수 있다면 성과 향상은 물론 문제를 해결하는데 도움이 될 것이다. 따라서 마음챙김이 습관화 된 사람의 주변인들 또한 긍정적인 영향을 받으면서 삶의 질이 높아질 수 있다.

리더는 자신의 생각보다 훨씬 더 많은 사람들에게 영향력을 발휘한다. 이는 조직 차원에서도 더 좋은 결과를 기대할 수 있을 것이라고 인식한 선진국에서 EAP 프로그램이라는 것을 도입한 계기다. 직원들의 정신건강 증진과 생산성 향상을 위해 P&G, 존슨앤드존슨, 구글, 메타 등 포춘지 선정 세계 500대 기업들이 직원들에게 마음챙김을 위한 서비스를 제공하고 있으며, 스탠퍼드, 예일, 하버드, IE 비즈니스 스쿨과 같은 수준 높은 대학들에서도 교과 과정으로 마음챙김을 학습할 수 있는 기회를 제공하고 있을 정도로 마음챙김의 효과가 세계적으로 비즈니스와 학계에서 긍정적인 평가를 받고 있다.

여기 생각의 감옥에 갇힌 한 사람이 있다. 서울 명문대에 입학한 후 석사 학위까지 취득 하여 첫 사회생활을 나름 고급 코스로 시작한 신입사원이다. 그때까지만 해도 스스로에 대한 자신감은 매우 높았고 주위에 나보다 더 잘나가는 친구는 없었다. 그러나 치열한 경쟁을 거쳐 입사한 회사 선배나 동료들을 보니 나는 '우물 안 개구리'였구나 라는 생각이 머릿속에서 떠나지 않는다. 나름 자신 있었던 영어 회화도 원어민에 가까운 발음으로 대화하는 동기를 보니 스스로가 너무나 부족했다. 점점 부족한 점에 집중하게 되고 주변 사람들은 모두 자신을 비웃고 깔보는 것 같은 생각이 들었다. 생각이 현실처럼 느껴져 다른 사람들과 대화를 나누는 것도 점점 어려워지고 있다. 실수도 잦아지고, 점점 생각은 내면에서 커져만 갔다. 생각의 감옥에 갇힌 그는 결국 사직서를 내고 말았다.

너무나 괜찮은 인재이기에 회사에서도 적지 않은 훈련비용을 들였을테니 우리는 이 사람의 퇴사를 막아야 한다. 그런데 어떤 수로 이 사람의 마음 상태를 돌려낼 수 있을까? 자기계발 교육이나 면담을 통해서 그의 마음을 돌릴 수 있을까? 마음은 스스로 통제할 수 없기에 '나'와는 다른 존재로 해석된다. 마음에 대한 다양한 해석이 있지만, 자동화된 무의식적 반응이나 본능 그 자체라는 말이 가장 설득력이 높을 것 같다. 이 통제불능인 마음을 잘 관리하며 챙기는 것은 우리의 건강한 삶을 위하여 중요할 것이다. 지금부터 마음을 챙기는 방법들에 대하여 알아보자.

마음챙김 기본 단계

마음챙김 훈련으로서 가장 많은 선택을 받는 것이 호흡명상, 바디스캔, 걷기명상 등이다. 이 중 가장 기본적인 훈련인 호흡명상에서는 호흡에 집중하는 것 자체가 그 감각에 닻을 내린다고 할 수 있다. 호흡이라는 닻을 내리지 않는다면 폭풍처럼 일어나는 생각과 감정에 휩쓸려버리기 쉽기에 이는 반드시 필요하다. 잠시 방해받지 않을 수 있는 공간으로 이동하여 다음의 가이드에 따라 호흡명상을 진행해 보자.

호흡명상 가이드

1. 허리와 엉덩이를 등받이에서 떨어뜨리고 곧은 자세로 의자에 앉는다.
   정수리 위에서 줄로 잡아 당기는 느낌으로 몸을 곧게 만든다.

2. 4초 간 코로 복부 아래부터 천천히 팽창시키면서 호흡을 들이마신다.

3. 잠시 2초 정도 숨을 참으며 자연스러운 몸의 팽창을 느낀다.

4. 6초 간 입으로 천천히 복부가 납작해질 때까지 호흡을 부드럽게 내뱉는다.

걷기명상 가이드

1. 잠시 자리에서 일어나 천천히 걸어봅니다.
   장소는 관계 없습니다. 내가 할 수 있는 한 가장 느린 속도로 걸어봅니다.

2. 걸을 때 이루어지는 관절의 움직임, 팔과 다리의 움직임, 발바닥의 움직임에 온전히 집중해 봅니다. 떠오르는 생각이나 감정, 어떤 행동 충동이 일어나는지 적어봅니다.

보기명상 가이드

1. 잠시 밖으로 나가 산책하세요. 평소에 주의 깊게 보지 않았던 것들에 관심을 가져 보세요. 무엇을 보았습니까?

2. 나무의 잎의 무늬, 구름의 모양, 물의 잔잔한 흔들림과 같이 세밀한 시각적 정보에 집중해 보면 더욱 좋습니다. 떠오르는 생각이나 감정, 어떤 행동 충동이 일어나는지 적어봅니다.

먹기명상 가이드

1. 좋아하는 음식을 두고 잠시 후각에 집중합니다.
   세상에 온전히 이 음식의 향 만이 존재하는 것처럼 집중합니다.

2. 후각에 충분히 집중했다면 조용히 맛을 음미해 봅니다.
   온전히 맛에만 집중하여 미각의 정보를 충분히 만끽하세요.
   떠오르는 생각이나 감정, 어떤 행동 충동이 일어나는지 적어봅니다.

마음챙김의 또 다른 방법

우리의 뇌는 같은 상황에서도 각자 다른 생각을 한다. 앞서 언급했듯이 살아온 환경과 경험이 모두 다르기 때문이다. 그렇기에 생각을 갈무리하지 않으면 이른바 '자동적 사고'라고 하는 프로세스를 따르게 된다. 즉, 에너지를 덜 쓰고 보존하기 위해 잘 닦여진 길로만 자동으로 간다는 뜻이다. 우리가 하고자 하는 것은 '감사거리 찾기'라는 이름의 포장도로를 만들려고 하는 것이다. 매일의 감사거리를 찾음으로서 상황을 긍정적으로 창조하고자 하려는 것이다.이를 통해 삶의 긍정적인 부분에 집중하고 문제를 뒤로 하는 방법을 배울 수 있다. 처음 감사일기를 쓴다면 어떻게 써야 할지 감이 오지 않을 수 있으므로 여기에 가이드를 제시한다.

1. 오늘 하루 나에게 일어난 굵직한 사건들을 떠올린다.
   모든 사건을 떠올릴 필요는 없다. 소소한 일상 중 하나를 생각한다.

2. 그 일상에 얽힌 사람들 중 한 사람에게 감사한 마음을 가져본다.
   큰 일이 아니어도 '덕분에~' 라는 말로 시작하면 좋다.

3. 오늘 하루 내안의 나에게 감사할 만한 일 하나를 떠올려 본다.
   무엇인가에 도전했거나, 누군가를 도왔거나, 묵묵한 인내심도 좋다.
   단지 기억하고 되새기는 것이 중요하다.

감사일기를 쓰는 시간은 언제든 괜찮다. 개인적인 신체리듬에 따르는 것을 권장하지만 필자는 아침에 일어나서 쓰는 것을 권한다. 실제로 실천을 해 보았을 때 아침에 쓰고 나면 시작이 개운했던 느낌이 있다. 조금만 더 욕심을 부려본다면, 가정에 보드판을 만들어 놓고 가족 모두가 한 줄 씩 채워 넣는다면 좀 더 서로를 이해하는 화목한 가정을 위해 노력하는 방법도 된다. 처음엔 어색하고 힘들다. 매일 하는 것도 힘들다. 누군들 그렇지 않겠는가?

감사일기 변형

1. 오늘 하루는 어땠나요?

[작성규칙]
- 현재진행형으로 작성한다.
- 하루 중 즐거웠던 사건을 기록한다.
- 도움을 받거나, 주었던 사건을 기록한다.
- 나에게 어떤 특별한 점이 있는지 기록한다.
- 긍정적인 단어만 사용한다.

05
구성원을 동기부여하기

직장생활 12년. 그동안 어찌저찌 밑에 직원들을 이끌고 오기는 했지만 오늘부터는 팀장이라는 새로운 직함을 받았다. 아직도 기분이 얼떨떨하다. 뭐가 뭔지 하나도 모르겠지만, 일단 어떻게든 되겠지 싶은 마음으로 출근을 한다. "뭐 바뀐 건 직함이랑 자리.. 별거 없네.."

스스로 마음을 다스리고자 그렇게 자기 세뇌를 하고 있지만 사실 분임조 인원수는 100명. 벌써부터 성과를 어떻게 낼 것인지 보고서를 기대하는 임원들의 압박은 생각만 해도 가슴을 조여온다. 기백이 필요하다. "그래! 리더십 교육에서 배운대로 아자! 할 수 있다!"

얼굴을 한번 두들겨주고 화장실에서 나와 오전 업무를 마치니 점심시간이다. 이대로 잘 넘기면 한숨 돌리고 짧은 잠을 즐길 수 있을 것이다. 그런데 아뿔싸! 식사자리에서 들리던 직원들의 하소연이 머릿속에서 떠나질 않는다. '하.. 혹시 내가 다 처리를 해줘야 하는 건가..' 첫 날부터 중압감이 장난이 아니다. 회사 리더십 교육에서 배운 내용들은 막상 현실에 적용해보려고 해도 어떻게 시작해야 할지 감이 오지 않고 이러지도 저러지도 못한 채 개인 면담 시기만 돌아오고 있다.

"아.. 망했다"

직원의 참여도는 조직의 성과에 결정적 영향을 미친다. 대부분의 조직에서 구성원들 참여를 일으키려는 이른바 '조직활성화' 프로그램에 많은 투자를 하는 이유가 여기에 있다. 구성원들끼리 친밀함을 느끼고 신뢰를 쌓으며 서로를 개방하는 일은 어떤 과업을 함께 수행할 때 얼마나 양질의 성과를 낼 수 있느냐와 밀접한 관계가 있다. 즉, 직원의 참여도란 조직내의 활동에 참여하고 효과적으로 일하는 정도를 지표로 나타낸 것이며 이것은 구성원들이 얼마나 동기부여 되었는가에 따라 좌우된다. 동기부여는 감성지능과 매우 밀접한 관련이 있으며 리더십과도 관계를 끊을 수 가 없는 중요 요소다. 효과적인 동기부여 방법을 이해하고 적용하게 되면 구성원들의 참여와 성과에 중요한 영향을 미칠 수 있기 때문에 리더는 이를 잘 이해하고 활용할 줄 알게 되면 높은 성과를 낼 수 있다. 그렇다면 지금부터 동기부여에 대한 이해를 위해 간단한 설명을 하고자 한다.

내재적 동기 vs 외재적 동기

밖에서 미는 힘과 안에서 발산되는 힘 중 어떤 것이 더 효율적일까? 사물에 이러한 질문을 적용한다면 아마도 답을 하기가 어렵지는 않을 것이다. 상황에 따른 공식을 대입한다면 그 경우에 맞는 답이 딱 떨어지게 날 것이기 때문이다. 그러나 사물이 아닌 사람에 질문을 대입한다면 어떨까? 이 책을 읽고 있는 당신의 생각은 어떤가.

흔히 내재적 동기라고 부르는 것은 자신의 내부적 욕구와 만족감을 충족시키기 위해 어떤 행동을 취하려는 내적인 욕구를 동력으로 삼는다. 행동 자체로 인해 개인에게 즐거움이나 흥미로움이라는 보상을 줌으로써 나타날 수 있다. 따라서 자기개발, 자기 효능감, 관심있는 분야를 배우거나 도전하는 일로도 설명할 수 있는 요소이다. 반대로 외재적 동기는 외부적 보상이나 제재, 즉 행동의 결과로 얻을 수 있는 이익에 의해 유발된다. 보여지는 보상이나 피드백에 반응하여 움직이게 되므로 급여, 승진, 상여금과 같은 외부적 보상뿐만 아니라 인정, 칭찬, 상을 받는 것과 같은 사회적인 보상과 같은 것으로 설명할 수 있다. 여러분의 경우는 어떤가? 외재적 동기가 충분히 주어진 환경과 내재적 동기가 충분히 주어진 환경 중 하나를 고르라고 한다면 어떤 환경을 택할 것인지 감이 오는가? 그러면 아마 누군가는 그렇게 말할 것이다. 둘 다 선택하면 안되는거냐고. 맞다. 우리는 무엇을 고르는 것이 아닌 적절한 조화가 필요한 것이다.

내재적동기가 외재적동기보다 직무몰입과 직무경험에 긍정적이라고 말하는 이유는 타인의 개입이나 재촉때문이 아니라 주도적으로 목표를 설정하고 창의적인 방법과 기회를 모색하여 성과를 창출할 수 있게 하기 때문이다. 그렇기 때문에 목표달성에 실패하더라도 쉽게 포기하거나 좌절하지 않고 지속적으로 도전하고 하고 있는 일에서 즐거움을 경험하게 할 수 있다. 이는 주도적인 성격을 가진 사람에게는 훨씬 더 중요한 요소가 될 것이다. 자신의 전문성을 매우 중요하게 여기거나 문제 해결능력이 높은 사람인 경우 오히려 누군가의 칭찬이나 인정이 와닿지 않는 경우가 많다는 연구결과도 이를 뒷받침한다. 반면에 어떤 전문가들은 단기적인 성과나 효과를 기대하는 경우라면 외재적동기를 자극하는 방법이 유리하다고 말하기도 한다. 빠르게 목표를 성취해야 할 때에는 눈에 보이는 보상을 시각적으로 그려낼 수 있게 함으로써 협동을 이끌어내기가 용이하기 때문이다. 단기 프로젝트나 시장 변화에 빠르게 대응해야 할 때 외재적 동기를 활용하는 것도 좋은 방법이다. 그러나, 외재적 동기는 조직의 예산, 인사관리 등에 따라 리더 한 사람의 노력으로 움직일 수 있는 범위는 크지 않으므로 현실적이지 못한 경우가 많다. 대부분의 외재적 보상은 조직 차원의 큰 결정에서 이루어지므로 리더 스스로 할 수 있는 부분이 많지 않다는 의미다. 그러므로 우리는 조직의 리더가 구성원들의 내재적 동기를 어떻게 끌어낼 수 있는지에 대한 실천적 방법을 안내하려고 한다.

리더의 내재적 동기부여 능력

리더는 팀원들의 감정을 인식하고, 이해하며, 적절하게 관리할 수 있는 능력이 중요하다는 것을 앞서도 언급한 바 있다. 이를 통해 구성원들이 긍정적으로 동기를 유지 할 수 있도록 하는 세 가지 주요한 포인트는 다음과 같다.

1. 타인인식을 역량을 활용한 개인별 동기부여

각 팀원의 개별적 욕구와 동기를 이해하기 위해 노력한다.

2. 진정성에 기반한 긍정적 피드백

성공, 노력 또는 개선에 대한 성과를 칭찬함으로써 긍정적
행동을 강화한다.

3. 감정적 추론에 기반한 자기결정성 존중

팀원의 자율성과, 유능감, 관계성 세 가지 기본 욕구를
충족시킨다.

1) 개인별 동기부여

역량있는 리더는 이 세 가지 요소를 강화할 수 있도록 도움을 주면서 팀원들의 내재적 동기부여를 촉진 시킬 수 있다. 지금부터는 위에서 언급한 세가지의 동기부여 포인트를 바탕으로 실무에서 시도해볼 수 있는 방법을 제시한다.
팀원들의 개별적인 욕구와 동기에 따라 맞춤형으로 접근하여 참여와 성과율을 높일 수 있는 방법으로 아래와 같이 제시할 수 있다.

- 일대일 미팅
- 목표설정 워크숍
- 강점 또는 관심사에 관련한 프로젝트 참여시키기
- 멘토링과 코칭 프로그램 운영
- 개인화된 보상체계 개발 등

정기적인 일대일 면담은 각 팀원을 깊이 있게 이해하고 맞춤형 지원과 동기부여 전략을 개발하는 데 큰 도움이 되는 것으로 조직에서 손쉽게 자주 활용된다. 그러나 신임리더의 경우 일대일 미팅 자체를 부담스러워하거나 대화 시 어떻게 질문하고 피드백 할 것인가에 대한 현실적 고민이 있는 것도 사실이다. 주제를 잡는 것에서부터 어떤 결론을 내야 할 지에 대한 프로세스가 연습되어 있지 않다면 면담과정에서 자괴감에 빠지거나 목적 없는 잡담으로 이루어질 가능성이 높기 때문이다. 따라서 다음 세 가지 프로세스를 기억하면 좋다.

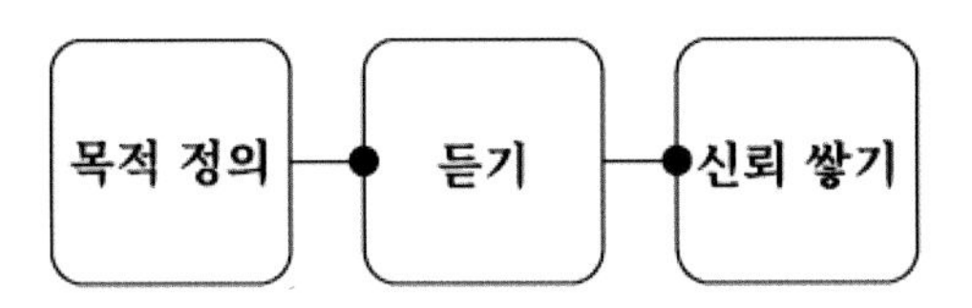

첫 번째는 미팅 대상자인 구성원과 대화를 나누고자 하는 이유를 간략하게 설명하여 목적을 설정해야 한다. 이 목적을 설정하지 않으면 대화의 주도성을 놓치게 되거나 상대의 방어적 태도에 휘둘리기 쉽다. 따라서 첫 대면시에 미팅의 목적을 명확히 전달하고 대화의 의사가 있는지 확인하면 좋다. 예를 들면 다음과 같이 말할 수 있다.

"지금 저하고 전 분기 KPI에 대한 이야기를 하려고 하는데
괜찮을까요?"

또한 미팅을 진행하기 전에는 구성원이 자신의 의견과 제안사항을 자유롭게 표현할 수 있도록 편안한 환경을 조성해 주는 것이 중요하다. 편한한 환경 조성이란 방어심리를 없애고 긍정적 기분을 들게 해주는 것이다. 가령 '오늘 표정이 유난히 밝은데 혹시 좋은 일 있어요?' '점심에는 어떤 맛있는 걸 드셨어요?' 와 같이 즐거운 기억을 상기시킬 수 있는 질문을 통해 관심을 표현해주면 훨씬 대화가 쉬워진다는 것을 느낄 수 있을 것이다.

두 번째는 말하기의 비중이다. 말 그대로 나는 듣고 상대가 많이 말할 수 있도록 환경을 조정하는 것이다. 최근엔 '면담' 이라는 '멘토링' 이라는 말 대신

'미팅' 이라는 용어를 사용하는 추세인데 그 이유가 흥미롭다. 평가와 성장을 위한 '면담'과 '멘토링'은 주로 상사가 주가 되므로 팀원에게 평과 결과에 대한 설명이나 향후 방향에 대한 제시와 제안을 설명한다. 또한 개인 발전을 위한 조언이나 개선점에 대한 제시 등을 이야기 하게 되므로 당사자의 생각과 이야기를 듣기가 어렵다. 이것은 내재적 동기를 일으키는 것이 아니라 오히려 내면으로 꽁꽁 숨어버리게 만드는 결과를 주므로 지양해야 한다. 기존 면담과 차별점을 두고 진정한 의미의 '미팅'을 진행하고자 한다면 팀원의 말하기 비중이 70%이상 되도록 해야 한다. 이를 위해서 사전에 미리 질문 리스트를 만들어 팀원이 스스럼 없이 본인 생각과 감정상태를 말할 수 있도록 설계하면 도움이 된다. 그러나 상황에 따른 질문들은 조직 상황이나 개인 성향에 따라 다를 수 있으므로 큰 카테고리를 기준으로 목록을 만들어 보면 좋다.

[질문 카테고리]

1. 개인 성장 및 발전 (예시)

- 요즘 어떤 취미생활을 합니까?
- 맡아보고 싶은 업무가 있습니까?
- 무엇을 할 때 가장 즐겁습니까?

2. 업무 성과 및 목표 (예시)

- 이루고자 하는 목표를 얼마큼 이뤘습니까? (정량적)
- 도달하고자 하는 최종 목표는 무엇입니까?
- 목표를 이루는 데 어떤 도움이 필요합니까?

3. 팀워크 및 협업 (예시)

- 팀의 분위기는 목표를 이루는데 도움이 됩니까?
- 어떻게 변화하는 것이 바람직합니까?
- 어떤 것을 강화하는 것이 바람직합니까?

세 번째는 미팅을 통해 신뢰를 더 견고히 쌓는 것이다. 리더는 구성원과 주기적인 미팅 약속을 하고 반드시 약속을 지켜야 한다. 차수 별 미팅에 따라 액션 아이템을 선정하고 리더와 팀원이 함께 모니터링 하여 달성 여부를 체크해야 한다. 그리고 마지막으로 위의 두 가지를 반복하면서 서로가 돕는 관계라는 인식을 갖게 되면 서로 신뢰를 쌓을 수 있게 된다. 추가로 많은 구성원들을 면담하면 모든 사항을 다 기억할 수 없으므로 면담일지를 작성해 놓는 것은 좋은 팁이다. 아래는 간단한 면담 시트에 들어갈 내용을 기재한 것이다. 오피스 프로그램을 이용하여 아래 항목들이 포함되도록 시트를 작성하고, 수집해두면 좋다.

[미팅일지에 들어갈 항목]

1. **대상자 정보** : 이름/ 날짜/ 직위
2. **미팅 목적** : 미팅의 목표와 주제
3. **성과 리뷰** : 최근 성공한 프로젝트나 진행중인 업무에서의 어려움이나 문제점
4. **자기개발 및 학습** : 현재 배우고 싶은 기술이나 지식, 장·단기적 직업 목표
5. **관심사** : 업무에서 가장 만족스러운 순간/ 앞으로 맡고 싶은 업무
6. **피드백 및 지원요청** : 업무에 필요한 지원이나 자원, 피드백
7. **액션플랜 및 목표설정** : 이번 면담을 통해 세운 목표, 다음 면담까지 달성하고 싶은 목표

2) 긍정적 피드백

리더의 긍정적 피드백은 팀원들의 성장, 동기부여, 긍정적인 업무 환경 조성에 중요한 역할을 한다. 이러한 피드백을 줄 때에는 구체적이고, 진실되며, 적시에 제공해야 하는 것이 포인트이다. 제공되는 워크 시트 빈칸의 긍정적 피드백을 완성해보자.

긍정적 피드백을 제공할 때는 팀원이 이를 수용하기 쉬운 방식으로 전달하는 것이 중요하다. 개인적인 성향과 피드백을 받는 상황을 고려하여, 일대일 면담이나 팀 회의와 같이 적절한 타이밍에 피드백을 제공하는 것이 효과적이다. 리더의 긍정적 피드백은 단순하게 성과를 칭찬하는 것에서 끝나는 것이 아니라 팀원들이 자신의 가치와 공헌도를 인식하고 자신감을 갖도록 돕는 중요한 리더십 방법이다.

행동에 대한 피드백	
성과에 대한 피드백	
성장과 발전에 대한 피드백	
고마움의 표현	
성장기회를 제공하는 것	
장기적인 비전 제시	

3) 자기결정성 존중

사람들은 자율성(Autonomy), 유능감(Competence), 관계성(Relateness)의 세 가지 기본적인 심리적 욕구를 충족시킬 때 내재적 동기가 유발되어 가장 창의적이고 활동적으로 행동한다. 먼저, 자율성을 증진시키기 위해서는 팀원들 목표설정 과정에 팀원들을 참여시켜 업무 목표를 스스로 설정할 수 있도록 해야 한다. 이때 리더의 역할은 구성원을 독려하고 책임감을 높일 수 있도록 지원해야 한다. 이때 업무 수행을 위한 방법이나 일정, 장소에 대해 스스로 결정할 수 있게 유연성을 제공하면 구성원 자신에게 가장 잘 맞는 방식으로 업무를 처리할 수 있다.

관계성을 강화하기 위해서 팀 빌딩 활동이나 조직력 강화 행사 그리고 사회적 모임을 만들어 팀원들 간에 긍정적 관계를 구축할 수 있도록 하는 방법을 선택할 수도 있다. 이를 통해 팀원들이 자유롭게 의견을 나누고 지원을 요청할 수 있는 개방적인 분위기를 도모할 수 있다. 실제 여러 글로벌 기업들은 다양한 방식을 통해 직원의 자율성, 유능감, 관계성의 욕구를 충족시켜 내재적 동기를 촉진하여 직원 만족도를 높이고 성과를 개선하며 경영 측면에서 혁신을 촉진하고 있는데 구성원과 면담 후 개인 성장 로드맵에 따라 교육프로그램, 워크숍, 직무와 관련한 컨퍼런스 참여를 독려하면 좋다. 구성원은 개인의 성장을 지원받고 전문성을 개발할 수 있는 기회를 얻을 수 있으므로 리더에 대한 신뢰와 고마움을 갖게 된다. 여기에 격려와 성과에 대한 피드백을 제공하면 팀원 자신의 성공과 유능함을 충분히 느낄 수 있는 시스템이 완성된다.

Google

업무 시간의 20% 는 자신의 프로젝트에 할애할 수 있도록 한다. 이 제도는 직원들이 자신의 관심사와 열정을 탐색하게 했고, 그 결과 Gmail과 AdSense와 같은 혁신적인 성과를 이뤘다.

Netflix

'문화메모'라는 것을 통해 회사의 핵심가치와 운영원칙을 설명하고 있다. 유연한 휴가 제도와 성과 중심의 조직문화를 조성하여 직원들이 자신의 일정을 자유롭게 관리하도록 한다. 회사는 이를 통해 직원들이 개인적인 책임감을 갖고 더 높은 생산성을 발휘하게 독려한다.

Patagonia

환경 보호에 대한 그들의 사명과 함께, 직원들의 워크-라이프 밸런스와 자율성을 존중하는 것으로 유명하다. 유연한 근무 시간, 자연 환경에서의 회의, 그리고 직원들이 자신의 열정을 추구할 수 있는 기회를 제공함으로써, 직원들이 내재적 동기부여를 촉진하고 있다.

Zappos

이 회사는 고객 서비스 우수성뿐만 아니라, 직원들 간의 긍정적인 관계와 팀워크를 강조한다. Holacracy라는 제도가 있는데, 구성원들이 자신의 업무와 관련된 결정을 스스로 내릴 수 있는 제도로서 구성원 모두가 하나 이상의 역할을 맡고 특정한 권한과 책임을 바탕으로 조직목표의 달성에 기여한다. 직원들이 회사 문화에 적극적으로 참여하고, 직장 내에서의 행복을 추구하도록 직장내 '행복코치' 제도를 운영하고 있다.

06
HR 4.0 전략적 동기부여

HR 4.0은 팬데믹 이후의 변화하는 근무 환경과 직원들의 기대에 부응하기 위해 새로운 접근법과 해결책을 모색하고 있는 지금을 표현하는 용어이다. 기업과 조직들은 HR 기술과 전략을 지속적으로 발전시키며, 직원 경험의 디자인과 개선, 조직의 디지털 변환 가속화, 그리고 지속 가능하고 포용적인 작업 환경 조성에 더 많은 노력을 기울이고 있다. 전문가들은 이 시대의 동기부여 전략으로 다음과 같이 제언한다.

"효율적인 기술 활용을 통해 개인화된 경험을 제공하고,
팀원들이 자신의 역량을 최대한 발휘 할 수 있는
환경을 조성하는데 가장 큰 중점을 두어야 한다"

The Future of Work의 저자 Jacob Morgan은 금전적인 이점이 더 이상 직원 동기 부여의 주요 요인이 아닌 상황에서 기업이 경쟁력을 유지하는 가장 효과적인 방법은 직원 경험을 향상하는 것이라고 주장했다. 금전적인 이점이란 앞서 기술한 외재적 동기로서 리더 개인의 노력으로 혁신하기 어려운 요인임을 이미 지적한 바 있다. HR 전문가 Josh Bersin 역시 2020 COVID-19

이후 '인식의 대전환'이 발생했다고 주장하는데 우리는 모두 이를 몸소 체험하는 시기를 살아가고 있지 않나 싶다. 전염병에 대한 보건위기를 겪으며 조직은 구성원들에게 신체적, 정서적인 안정감을 제공하는 환경과 지원이 중요하다는 것을 알았다. 이러한 요소들이 뒷받침 되지 않을 때 구성원들은 직무에 몰입할 수 없다는 사실을 깨달았다. 개인의 의식이 바뀌어 버린 것이다. 이에 따라 Google, Airbnb, Salesforce, Microsoft 등 많은 글로벌 기업들이 직원 경험 디자인 PEX 제도를 도입하고 새로운 조직문화 개선을 꾀하고 있다. 예를 들어 챗봇, 머신러닝, 직원 통합 플랫폼 서비스, 예측 데이터 서비스 제공과 개인화 서비스 등을 제공하는 등의 직원 경험 서비스를 개발하고 제공하고 있는 것이다.

직원 경험 서비스의 유형

1. 개인화된 경험

- 1on1 미팅, 교육프로그램, 멘토링, 온라인 학습플랫폼 등 개인의 선호와 필요에 맞춘 경력 개발 기회 제공

2. 유연한 근무환경

- 원격 근무, 워케이션, 유연근무제 등 직원들이 일과 생활의 균형을 찾을 수 있도록 지원하여 업무 생산성을 높이는 제도를 운영

3. 기술활용

- 커뮤니케이션 도구, 프로젝트 관리 소프트웨어, AI 기반 분석 도구

4. ESG 경영

- 조직의 사회적 책임과 지속 가능성 목표에 직원들을 참여시켜 공동의 가치를 추구하게 함으로 소속감과 동기를 부여함

5. 피드백과 인정

- 정기적이고 실시간인 피드백을 제공하고, 직원들의 성과와 기여를 인정. 구성원들이 자신의 노력을 가치 있고 인정받는다고 느끼게 함

6. 유연한 근무환경

- 다양성과 포용성을 중심으로 한 조직 문화를 조성. 직원이 존중받고 가치를 인정받는다고 느끼는 환경을 구성함

7. 웰니스

- 정신건강 프로그램, 피트니스 멤버십, 웰빙 워크숍 등을 통해 직원들의 신체적, 정신적 건강을 지원함

소개된 다양한 전략을 어떻게 이끌어 내고, 문화를 형성하면서 변화를 관리할지에 대한 부분은 오롯이 리더의 몫이다. 각 번호에 메모칸을 만들어 어떤 액션 플랜을 할 수 있을지 고민해 보는 것도 좋은 방법이 될 것이다. 이제 막 시작하는 스타트업이라면, 위 항목들을 표로 만들어 구성원들이 모두 참여하는 로드맵을 만들어보면 어떨까? 간단한 행동이라도 큰 성과를 만들어낼 수 있다는 것을 다시 한번 상기해 본다.

리더의 감정관리

이성과 대비되는 감성리더십의 지평을 연 Daniel Goleman은 그의 저서에서 리더가 갖춰야할 마지막 능력으로 "관계관리" 역량을 강조했다. 그가 이야기하는 리더십에서의 관계관리 능력은 성장과 성과를 동시에 성취하며 긍정적인 직무경험을 할 수 있도록 하는 것으로 아래 사항을 언급했다.

1. 영감을 불어넣는 능력 (Inspire)
   - 비전과 사명을 제시하고 공감대를 형성하여 목표를 향해 이끔
2. 영향력 (Influence)
   - 중요한 사람들에게 설득, 적극적 참여를 이끌어 내는 능력
3. 타인을 이끄는 능력 (Lead)
   - 진심으로 관심을 갖고 건설적 피드백으로 코칭할 수 있는 능력
4. 갈등관리 능력(Arbitrator)
   - 분위기를 만들고 숨은 갈등을 표면에 노출, 개선을 이끄는 능력
5. 팀워크와 협동강화 능력(Teamwork)
   - 동료애의 분위기를 조성과 친밀한 관계를 만드는 능력

이러한 역량들은 개인의 노력만으로 단숨에 쌓여가지는 않는다. 다만, 자신의 노력이 잘 전달되고 있는지 피드백을 받을 수 있는 시스템이 있다면 한층 더 성장한 모습을 보여줄 수 있을 것이다. 유명한 리더십 코치이자 저술가인 마셜 골드스미스는 (Marshall Goldsmith)는 리더들에게 "피드백"이 아닌

"피드 포워드"를 하라고 제안한다. 피드백과 피드포워드의 차이는 비슷한 개념 같지만, 과거에 중점을 두는 대화인가 미래에 중점을 두는 대화인가에서 크게 차이가 난다. 피드포워드는 과거의 실수와 문제점에 초점을 맞추는 대신, 미래의 개선 가능성과 긍정적인 변화에 중점을 두고 있다. 예를 들어보자.

A리더는 딱히 리더가 되어야겠다는 생각을 하면서 살지는 않았다. 그러나 회사에서 오랫동안 일을 하다보니 스스로 생각해 보아도 리더의 위치에 올라가서 직원들을 이끄는 입장이 되는 것이 너무 당연한 수순처럼 보였다. 물론 실적도 인정받아 나름 '니가 아니면 누가?'라는 뉘앙스를 폴폴 풍기기에 당연하게 받아들이기도 했다. 그러나 처음으로 받아본 360도 다면평가 결과를 보고는 망연자실해졌다. 나름 합리적인 리더라고 생각했는데 평가결과는 너무나 의외였던 것이다. '잔소리가 좀 많습니다' '회의 시간이 너무 깁니다' 등 전혀 예상하지 못했던 피드백에 살짝 민망하기도 하고 자존심도 상했다. 평가상황이니 직원들의 입장을 이해 못하는 것은 아니지만 자신의 고충을 몰라주는 직원에게 내심 서운하고 얼굴을 보기가 싫어졌다. 리더라는 이유로 다른 구성원들보다 더 혹독한 피드백을 받는 것이 사실이다. 그렇기에 평가 시즌에 결과가 나오면 마음에 상처를 입는 리더들이 한 둘은 아닐 것이다. 그러나 이 평가 이후 자신의 발전을 위해 피드백을 받아들인다면 또 얼마나 성장하는 리더가 될 수 있을까? 하는 상상들로 나를 더 강하게 만들어 줄 수 있지 않을까? 다면 평가 후 리더가 동료나 부하직원의 피드백을 받아들여 개선점을 찾고자 할 때는 이렇게 질문하면 좋다.

"다음에 비슷한 프로젝트를 진행한다면 더 잘 해보고 싶은데
혹시 더 좋은 방법이 없을까?"

만일 과거에 초점을 둔 피드백이라면 “지난 프로젝트 때 내가 내린 결정에서 잘못된 것이 있었다면 어떤 게 있었나?” 라고 질문하게 될 것이다. 그러나 위와 같이 미래에 초점을 둔 피드포워드 방식은 훨씬 강력한 에너지를 불러일으킨다. 과거의 오류나 잘못의 기억을 들추어 냄으로써 서로의 감정이나 대화의 분위기를 상하게 하지 않고도 개선에 대한 아이디어나 통찰에 대해 생산성 있는 대화를 나눌 수 있다면 이게 기적이 아니고 무엇일까. 리더가 피드포워드 방식을 활용하여 미래의 개선과 성장에 관한 동기부여를 얻고자 할 때 주의해야 할 점은 구체적이고, 건설적이며 행동지향적 질문을 하는 것이다. 아래 몇 가지 예시를 참고하여 실제 대화에 적용해 보도록 하자.

- 제가 더 효과적으로 소통하려면 어떤 방법을 시도해 볼 수 있을까요?
- 다음 프로젝트를 진행할 때 어떤 것을 주의하면 좋을까요?
- 창의성과 혁신을 촉진하기 위해서 제가 어떤것을 시도하면 좋을까요?
- 투명한 의사결정을 과정을 만들기 위해 추천하는 방법이 있나요?
- 자기 의견을 더 자유롭게 공유하려면 저는 어떻게 해야 할까요?
- 팀 성장과 개발에 더 기여할 수 있는 방법이 있다면 무엇이 있을까요?

이런 질문들은 먼저 해보고 점차 자신만의 언어로 바꿔간다면 좋은 결과를 낼 수 있다. 뿐만 아니라 질문을 통해 그에 따라 구체적인 행동계획을 수립한다면 도움이 될 수 있다. 그 외에도 리더는 의도적인 재충전의 시간을 갖아야 효과적인 경우가 많다. 또한 누군가의 멘토가 되거나 프로젝트를 돕거나 열정을 쏟을 만한 일에 자원봉사하면 내재적 동기가 더 커질 수 있음을 알아두자.

07
상대 읽어내기

박기환팀장은 오늘도 가슴이 답답하다. 얼마전 들었던 리더십 교육에서 실무를 하는 팀장은 바람직하지 못하다나.. 위임을 하라나.. 등 입맛에 맞는 얘기만을 들었지만, 사실 오늘도 나는 직접 내손으로 보고서를 작성 중이다.“뭘 시켜도 손발이 맞아야 시키지. 앓느니 죽지”

월요일 주간회의에 보고할 중요한 자료를 김대리한테 시켜놨더니 함흥차사이길래, 재촉하면 잔소리가 될까 싶어 월요일에 보고해야 하니 주말까지는 완료해달라고 요청해놓은 상태였다. 안그래도 김대리는 일이 많아 보이기는 했지만, 성과장에게 시키면 한번 더 손을 봐야 하니 깔끔한 김대리에게 요청하는 것이 훨씬 나은 선택이었기 때문이다. 그래서 잘 작성해 주면 사장님에게 어필을 해줄 생각도 있었다.

금요일은 각자의 생활이 있고 토요일은 아무래도 개인 일정이 있을테니 오전에는 완료하여 보내줄 것이라고 생각했는데 웬걸? 토요일 1시가 지나도 메일이 없다. 답답한 마음에 문자를 보내본다.

「김대리, 주말 잘 보내고 있어? 다름 아니라 혹시 보고서 보냈는데
내가 못 받은걸까? 어디로 보내줬지?」

「아, 그거 내일 하려구요」

라떼는 말이야~

한참 유행어처럼 '라떼는~' 이라는 말을 조롱하며 유행처럼 번진적이 있었다. 물론 지금도 그런말은 사용하면 안된다고 암암리에 매너처럼 번지고 있지만 시니어들끼리 모여있는 일각에서는 '뭐 어때~ 라떼는~' 이라면서 아랫사람과 함께 있을때 사용하지 못한 분풀이를 하듯이 쓰기도 한다. 사실 이 말은 말의 뉘앙스나 전달해주는 상황의 문제이기 때문에 주의해야 하는 단어라고 하지만 속사정은 조금 다른 것 같다. 아마도 이 말의 전제가 '우리는 이렇게 해왔으니 너도 이렇게 해야 한다' 라는 암묵적인 압박이 있는 말이기때문에 서로에게 상처를 주는 것이 아닐까? 그렇다면 비단 이 말 뿐 아니라 우리가 주의해야 할 것들은 이 외에도 여러가지 것들이 있을 수 있음은 쉽게 짐작이 가능하다.

위 사례로 다시 돌아가 보자. 박 팀장의 입장에서 상황을 바라보면 답답함과 초조함이 느껴진다. 리더로서 최선을 다하기 위해 교육에서 요구하는 매뉴얼을 충실히 따랐고 이성적 사고로 적합한 사람에게 업무를 분배했으며, 합리적 사고로 추후 보상에 대한 고민도 하였고 스트레스를 주지 않기 위해 잔소리하지 않는 인간적인 면모도 보였다. 사실 이렇게 박팀장의 입장에서 보면 김대리는 직장생활의 기본도 모르는 몹쓸 구성원이 된다. 이제 김대리의 관점으로 시선을 옮겨보자. 대리 직급이면 갓 입사한 신입사원도 아니고, 어느 정도의 조직 문화에 적응한 구성원일 텐데 어째서 저런 문자하나만 보내고 예의상 '죄송합니다' '양해 부탁드립니다' 등의 쿠션어 하나 없는 문자를 보냈을까? 김대리의 입장에서 대변할 말은 부지기수다. 사장님께 보고드릴 보고서라고 했으니 정확도가 중요한데, 대리 입장에서 타부서 업무 요청에 즉각적 권한이 없을 수 도 있다. 이전 자료를 파악하는데 시간이 걸릴 수 도 있지만, 도와줄 정과장은 미덥지 못하다. 일이 너무 많아서 그때그때 우선순위가 바뀐다. 너무 바빠서 커피 마실 시간도 없는데 동기들은 쉬엄쉬엄 하는 것 같다. 주말에는 본가에 일이 있어 가야 한다. 결국 일요일밖에 시간이 없다. 관점을 다르게 보면 너무나 안타까운 상황이다. 두 사람 모두 열심히 목표를 향해 달려가고 있지만, 상대를 잘 못 읽어내서 협력의 사다리가 부서지는 모습이 상상되지 않는가? 자, 그럼 다음 물음에도 답해보자. 인간적이고 사람은 참 좋은데 일을 잘 못한다는 평을 듣는 리더와, 차갑고 다가가기 힘들지만 일은 참 잘해서 팀원들도 덩달아 위치가 격상하는 리더 중 어떤 팀을 택할것인가? 대부분의 사람들은 잠시 고민하는 듯 하지만 결국에는 후자를 택하는 경우가 많다. 그러나 나는 그렇게 생각하지 않는다. 결국엔 둘 다 조직을 망치는 리더가 될 것이다. 왜냐하면 우리는 사람 속에서, 사람'들'과, 아주 오랜시간 일을 하기 때문이다.

인간관계는 중요하다. 그러나 일을 하기 위해 모인 자리에서 그 인간관계가 의미 있으려면 일을 '잘' 해야 한다. 리더는 구성원이 일을 '잘'할 수 있도록 인간관계 스킬을 활용해야 한다. 즉, 사람을 잘 읽어야 한다.

사람 읽기

앞서 언급했던 자기 관리, 동기부여, 관계관리에 대한 이해가 끝났다면 이 파트의 이해도가 높아질 수 있다. 사람을 읽으려면 먼저 자기 자신에 대한 이해가 선행되야 하기 때문이다. 그러니 이 장이 읽기 어렵다면 진단이든, 명상이든, 코칭이든 자신이 어떤 사람이고 어떤 것을 느끼는지 먼저 연습하길 바란다.

리더의 본질은 사람들 사이에서 방향을 정해주는 것이기 때문에 구성원들에게 일어나는 감정을 인정하고 공감하는 것은 매우 중요하다. 감정은 행동을 이끄는 요소이기 때문이다. 그 감정을 이해하지 못하고서 상대의 행동을 이끌 수는 없다. 그럼에도 불구하고 지금까지의 조직은 오로지 '당근과 말' 패러다임에 갇혀 감정을 무시하는 풍조를 확산해 온 것이 사실이다. 목표를 달성하기 위해서는 감정을 인정하고 활용해야 한다. 위 사례에서 박팀장의 행동에 독자의 입장에서 피드백을 한다면 어떤 피드백을 줄 수 있을까?

위 사례에서 박팀장의 목표는 '토요일까지 보고를 받아서 한번 정도 검토한 후 월요일에 사장님께 보고하여 박대리의 성과를 어필하는 것' 이다. 이 정도 목표로 일의 완수와 리더의 역량을 드러내려 했을 것이다. 그런데 여기에 주어는 '나'이다. 이 주어를 '너'로 한번 바꿔보자.

「네가 토요일까지 보고서를 준다면, 내가 한 번 정도 검토하게 시간을 준 후 월요일에 보고가 들어가면 사장님께 능력을 인정받을 것이다」

어떤가? 만일 주어를 상대방의 입장으로 바꾼다면 박팀장은 무엇을 먼저 말했어야 하는지 감이 오는가? 향후 일어날 일에 대한 언급을 해준다면 상대의 감정이 어떻게 바뀌고 어떤 것을 자율적으로 조절해야 할지 결정권을 줄 수 있다는 점에서 매우 고무적이다. 이렇게 주어를 바꿔서 생각하면 조직의 생산성은 발진할 수 있나.

이렇듯 상대의 행동을 예측하기 위해 고려되는 의도나 감정 등을 유추하여 활용하는 행위를 우리는 '감정의 추론' 이라고 말한다. 감정의 추론은 감정을 이해하는 영역에 있는 중요한 요소인 동시에 일상에서 늘상 일어나는 활동이다. '그래, 알았어' 라고 냉랭하게 말하는 배우자의 모습에서 무언가 잘못되었다고 느껴 행동을 조심하는 것이나 평소와 다르게 말을 잘 듣는 자녀들의 모습에서 '왜 그래? 무슨 일 있어?' 라고 묻는 경우도 마찬가지다. 우리는 말의 내용이 아니라 분위기나 느낌을 읽는데 더 익숙하다. 이것을 '비언어적 행위'라고 하는데 연구에 의하면 신뢰도가 70% 이상으로 나온다. 따라서 말의 내용이 아닌 사람의 감정과 느낌을 읽는 방법에 대해 훈련이 필요하다.

감정의 표현은 바램(want)의 바로미터다

우리는 누구나 바람(want)을 갖고 산다. 많은 발달심리학자들의 연구에 의하면 '바람'이란 개념이 만 2세부터 형성되기 시작하는데 이때부터는 자신이 무엇을 원하는지 또는 상대의 바람이 무엇인지에 대해 이해하고 감정을 표현할 수 있다고 한다. 그래서 어린 아이들은 맛있는 음식을 먹을 때 '너무 행복해' 라는 표현을 하거나 친구가 울면 함께 따라서 우는 행위를 하여 양육자를 놀래키기도 한다. 그런데 재미있는 것은 연령이 높아짐에 따라 자신과 타인에 대한 바램에 대해 이해하고 표현하는 것이 복잡해지게 되므로 자신의 바램과 타인의 바램이 다르다는 것을 이용하여 마트에 드러눕거나 양육자에게 안겨있는 부모의 자리를 동생 대신 차지하려고 한다. 이로서 알 수 있듯이 사람은 태어날 때부터 바램이 충족되면 긍정적 감정(행동)을 갖게되고, 바램이 충족되지 않으면 부정적 감정(행동)을 갖는다. 이것은 가장 기본적인 감정의 매커니즘이다.

아동들이 유치원이나 학교에서 학습을 시작하면서 뇌의 매커니즘은 좀 더 복잡해진다. 규율과 도덕을 배우고 나서 해야 할 것과 하지 말아야 할 것에 대해 이해하고 가정마다 독특한 문화를 체험하면서 제 각기 중요한 가치관들을 형성하게 된다. 7세 아동을 대상으로 상대의 감정을 추론하는 실험을 한 연구에서 바램의 수준이 발달할 수 록 가치와 신념에 더 비중을 두는 것으로 밝혀졌는데, 이를테면 책을 좋아하는 남자아이가 비행기를 선물 받았을 때 그 아이의 기분이 어떨 것 같으냐는 질문에 3-4세 아이들은 기분이 안좋을 것이라고 대답한 반면 7세 아동들은 기분이 좋을 것이라고 답을 했다. 이는 남자 아이들은 모두 비행기를 좋아할 것이라는 사회적 통념을 학습했기 때문에 개인의 선호보다 사회적 가치를 더 우위에 두었기 때문이다. 이것은 조직에 속한 우리에게 매우 큰 시사점을 준다. 예를 들어 조직에서 '탈개인화' 가 중요다고 생각하는 팀장과 조직내에서도 개인의 '라이프 스타일'을 지키는 것이 중요하다고 생각하는 구성원 하나의 사건에 대해 느끼는 감정이 매우 다를 수 있다는 것을 시사하기 때문이다. 만일 탈개인화를 중시하는 리더라면, 구성원이 개인적 특성을 보일 때 그 감정에 대해 부정적 감정을 보이고 그것을 '틀리다'라고 말할 가능성이 높다. '틀리다'에서 출발한 행동은 그러한 증거들을 찾게 된다. 그것이 뇌의 메커니즘이기 때문이다. 조직 내 인간관계는 이렇게 파벌지어진다. 나와 가치관이 맞는 사람과 맞지 않는 사람을 구별하는 것은 인간의 본능일 수 있으므로 성숙한 인간 혹은 리더가 되기 위해 부단히 가치 점검을 해야 한다. 다음 장에서는 일반적인 조직의 목록표를 보여준다. 이 목록표로 내가 중요하게 생각하는 조직 가치가 무엇인지 알아보자.

아래 가치 목록판을 확인한 후 조직에서 중요하다고 생각하는 가치를 5가지 골라보고, 최종적으로 가장 중요하다고 생각하는 1가지를 골라 ★ 표시해 보자.

1. 나의 아이디어나 능력을 높이는 것 ( )
2. 자유롭게 말하고 행동할 수 있는 것 ( )
3. 변화가 있고 새로움을 추구할 수 있는 것 ( )
4. 즐겁고 감각(오감)적으로 만족할 수 있는 것 ( )
5. 사회적 기준에서 성공적인 이미지가 있는 것 ( )
6. 사람들을 적절히 통제할 수 있는 권한 ( )
7. 자원이나 소스들을 관리하고 통제할 수 있는 권한 ( )
8. 사회적으로 편안하고 안정된 최소한의 환경 ( )
9. 개인적인 안정 ( )
10. 안전한 근무환경 ( )
11. 개인의 생각, 문화, 가치가 유지되는 것 ( )
12. 규칙이나 규범, 룰을 존중하는 것 ( )
13. 서로 존중하고 배려하기 위해 노력하는 것 ( )
14. 전체적 관점에서 자신의 위치를 생각하는 것 ( )
15. 자연환경 등 사회기여에 신경쓰는 것 ( )
16. 수평적 문화를 위해 노력하는 것 ( )
17. 타인을 이해하고 수용하기 위해 노력하는 것 ( )
18. 관련된 사람들이 좀 더 혜택을 받는 것 ( )
19. 관련된 사람들이 의지하고 믿게 만드는 것 ( )

가치목록판을 확인해보는 것은 상당한 의미가 있다.

내가 최종적으로 선택한 가치가 무엇인지 확인해보고, 만일 나의 팀에 있는 구성원이 나와 다른 가치를 최우선으로 생각하고 있다면 어떤 일이 벌어질지 생각해보는 것이다. 아래 예시를 한번 생각해보자.

A 직원은 교육부서에서 여러 가지 프로그램을 기획하고 운영하는 업무를 맡고 있다. 교육 담당 인력이 많지 않다 보니 여러 가지 업무를 함께 해야 하는데 워라밸에 지장을 주니 사실은 좀 힘이 든다. 예를 들면 홍보물 만들기에서부터 교육생 모집, SNS 운영을 포함한 마케팅, 강사 섭외, 교육 프로그램 운영 등 업무는 기본인데 이 업무만으로도 사실 벅차다. 거기에 일상적인 업무인 보고 책임과 예산 수립 및 사용까지 관여를 한다.

그래도 1년 정도 일해보니 일이 많다해도 배우는 것이 많고 회사 내에 딱히 전문가는 없기 때문에 내가 원하는 대로 일정부분 통제가 가능한 부분은 만족스럽다. 대부분 야근을 하지만 성과도 나쁘지 않고 나 스스로 텐션을 조절할 수 있는 자유가 어느 부분 보장되기 때문에 일의 만족도는 나쁘지 않은 편이다. 문제는 기존 팀장님이 인사발령 된 날 부터 생겨났다. 새로운 팀장님이 오시더니 기존에 하던 업무의 모든 것에 “왜 그렇게 해야 하는가?”에 대해 질문하기 시작했다. 처음에는 이유를 설명했으나 답변이 이해되지 않으면 자꾸 “왜?”라고 물으면서 보고를 반려하기 시작했다. A직원은 “왜”에 대한 답변의 타당성을 찾기 위해 업무 처리 시간이 늘어났고 더 적당한 답을 찾기 위해 허비되는 시간과 설득하는 시간 때문에 스트레스를 받기 시작하였다. 이런 스트레스풀한 태도는 업무에 대한 재미가 반감되었고 상사와 대화하는 시간이 고통스럽기 시작했다.

지금부터 A직원과 새로운 팀장과의 관계를 고찰해보자. A직원이 지금의 위치에서 중요하게 생각한 가치는 무엇일지 짐작이 가는가? 바로 '자유롭게 말하고 행동하는 것' '자원이나 소스들을 관리하고 통제할 수 있는 권한' 등일 것이다. 기존의 팀장은 그의 가치를 인정하고 유지시켰기 때문에 일이 많아도 만족도가 높았던 것이다. 새로운 팀장은 그에 대한 정보가 부족하였고, 유추해보면 그의 가치는 '사람들을 적절히 통제할 수 있는 권한' '전체적 관점에서 자신의 위치를 생각하는 것' 등으로 가정할 수 있다. 앞으로의 일은 불을 보듯 뻔하다. 새로 부임한 팀장은 자신의 권위가 손상되는 것에 큰 상처를 받을 수 있다. 그러나 A직원은 일의 만족도가 떨어져 생산성이 손실될 수 있다. 자, 이제 서로 다른 가치체계가 이해되었다면 A 직원을 어떻게 읽어낼 것인지 생각해보자. 업무 파악과 자신의 위치를 지키기 위해 리더가 읽어주어야 할 A직원의 감정은 무엇일까?

a. 주도적으로 일을 하는 것에 대한 자부심
b. 이전 리더의 방식과 달라 당황할 마음
c. 배움을 추구하는 열정

위 a~c 중 어떤 것을 정답으로 골랐는가? 아마도 세 개 다 맞지 않을까? 라고 생각했다면 이제 어느 정도 가치에 대한 이해가 된 것이다. 리더가 자신의 가치체계를 무너뜨리면서 직원과 관계를 맺는 것이 바람직한 방법은 아니다. 자신의 가치대로 행동을 유지하되 A직원의 가치에 기반한 감정을 읽어준다면 일은 훨씬 수월하게 진행될 것이다.

연습용 예시

B차장은 총무팀에서 근무하다가 인사이동을 통해 프로그램 기획부서에서 근무하게 되었다. 새로운 업무이지만, 예산이나 회사 전반 업무를 알아가는 과정에서 전체적인 프로세스는 알고 있었기 때문에 그다지 도전적인 업무는 아니었고, 직접 실무를 담당하는 A직원이 있으니 크게 걱정할 일은 아니었다. 다만, 세부적인 업무를 모르기 때문에 다른 직원들에게 의존도가 너무 높으면 추후에 문제가 생길 소지가 있는 것 같다. 뿐만 아니라 상위부서에 예산과 관련된 설득을 하려면 업무를 빠르게 익히고 자리에 적합한 인재라는 타당성을 확보할 의무가 있었다.

A 직원은 업무 능력이 우수하고 책임감도 높기 때문에 대부분의 업무를 담당한다. 그래서 보고를 받을 때 왜 그렇게 생각하고 실행까지 이어지는지를 묻는다. 이것은 전체를 보는 눈을 키우고 더 나은 판단을 하게 만들 수 있다고 생각한다. 그러나 언제부턴가 A직원은 업무 보고가 불성실해지고 가끔 짜증나는 듯한 발언을 하고 있어 의아스럽다. A식원에 대한 평가가 과대평가 된 것은 아닌지 의심스럽다. B차장은 자신의 생각과 다르게 뭔가 어긋나는 느낌을 참을 수가 없다. 인간관계가 너무 힘들다고 생각이 든다.

1. B차장이 중요하다고 생각하는 가치를 유추해보세요.

2. B차장을 위로해주려면 어떤 마음을 위로해주어야 할까요?
   자유롭게 기술해보세요.

마음왜곡, 누구에게나 있는 것

TRA(Theory of Reasoned Action) 합리적 행동 이론에 따르면 모든 행동은 그렇게 하고자 하는 의도에서 나온다. 의도는 그것이 중요하다고 느끼는 태도와 모든 사람이 그렇게 하고 있는지에 대한 규범, 그리고 그렇게 할 수 있다는 자율성에서 나온다. 즉 그 사람이 가진 가치와 문화에 영향을 받는다는 의미이다. 그러니 모든 행동에는 자신이 옳다고 하는 신념이 바탕이 된다.

사람과 사람이 만나면 가치 상충이 일어나는 것이 필연적이다. 이것을 성숙하게 해결하는 것이 개인적 성장이 될 텐데, 이것을 해결하기 위해 우리는 어떤 것을 배우고 익혀야 할까? 바로 마음의 왜곡, 그리고 사고를 바로잡는 훈련이다. '마음읽기'란 '가정'과 구분된다. 먼저 이 글을 읽는 독자들이 '가정'과 '마음읽기'를 구분할 수 있는지 간단히 살펴보자. 아래 예문을 보고 마음읽기는 - 마, 가정은 -가 로 표현해보자.

A: 이 프로그램은 기존에도 문제없이 해왔는데 '왜'라고 묻는게
이해되지 않아요. 불필요한 질문인 것 같습니다.

1. 이 직원은 나에게 적대감을 가지고 있다 (-　)
2. 이 직원은 상사와 대화하는 법을 모른다 (-　)
3. 이 직원은 내가 쓸데 없는 것을 물어본다고 생각한다 (-　)
4. 이 직원하고 일하는 것은 어려울 것 같다 (-　)

자신만의 답을 적었는가? 3번은 '마음읽기' 1, 2, 4번은 '가정'이다. 물론 답을 다르게 적었더라도 상관없다. 위 상황은 예시일 뿐이다. 마음읽기는 내가 상대의 정서를 그대로 인식한 것이고 가정은 그 사람의 말에서 숨은 뜻을 해석한 것은 나의 왜곡이다. 만일 가정을 통해 해석한 것을 기정 사실로 받아들인다면 초장부터 관계는 꼬이기 마련이다. 먼저 왜곡의 5가지 패턴을 알아보자.

1. 마음읽기 왜곡

- **상대의 마음을 안다고 주장하는 것**.

예를들어 "쓸데 없는 것을 물어보면서 내 능력을 의심하는 거잖아요" 라는 말이 나온다면 왜곡된 정보를 바로잡아야 한다. 따라서 "이유를 묻는 것이 능력을 의심한다고 생각해서 감정이 상했다면 오해가 있었나보네요." 라고 말하며 대화를 풀어나가는 것이 좋다

2. 수행자 상실 왜곡

- "왜라는 질문은 불필요하죠" 라는 말은 **누가 불필요하다고 생각하는지**가 빠진 질문이다. 이때 수행자는 말하는 사람 자신이다. 따라서 그렇게 믿게 된 수행자를 찾아내야 한다. 예를 들어

"질문이 불필요하다는 것은 누구의 관점인가요?"

"~ 씨는 왜 불필요하다고 생각하나요?" 라고 물어 증거를 수집하면 이성적 대화를 시도할 수 있다.

3. 인과의 왜곡

- **원인을 자기 밖에서 찾는 왜곡의 종류이다.**

그 예로 "그냥 두면 알아서 잘 할텐데 당신 때문에..." 라는 것이다.

"내가 이유를 묻지 않는 것이 ~씨가 일을 재밌게 만드는 방법인가요?"

"일의 재미가 없는 것이 내가 아이디어에 왜라고 물어서인가요?"
라고 되물어볼 수 있다.

4. 복합적동의 왜곡

- 두 가지를 인과로 엮어서 생각하는 것

"왜라고 자꾸 묻는 것을 보니 나를 신뢰하지 않나봐요" 와 같이 두 가지를 엮어서 사고를 확장한 왜곡이다. "신뢰하는 사람이 왜라고 물어본 적이 한번도 없어요?" "이유를 묻는 것이 왜 신뢰하지 않는 거라고 생각해요?" 라고 물어볼 수 있다.

5. 가정 왜곡

-"세세히 간섭하고 이유를 묻지 않으면 일을 더 잘할 수 있을텐데" 라는 말에는 세 가지 가정이 있다.

(1) 나는 일을 못하고 있다.

(2) 상사가 세세히 간섭한다.

(3) 상사는 내가 힘들어 한다는 걸 모른다.

이럴 때 가정 왜곡을 수정할 수 있는 방법은 "힘들다는 것을 알리기 위해서 어떤 행동을 했나요?" "세세히 간섭한다는게 구체적으로 어떤 거죠?" "일을 못한다는 건 어떻게 알 수 있나요?" 와 같이 물어볼 수 있다.

위 대화들을 일상에서 사용하는 구어체로 바꾸어 자신만의 언어로 바꿔나간다면 강력한 효과를 발휘할 수 있는 언어문장이다. 메타모델이라고 부르는 위 방법론은 NLP 기법 중 언어를 효율적으로 사용하는 방법으로 뇌 과학 응용심리학의 한 분야이고 현재 많은 코칭과 상담에서 사용하는 이론적 기법이다.

모든 것의 기반, 성장 마인드

스탠포드 대학교 심리학과 캐롤드웩은 나와 타인, 그리고 세상을 바라볼 때 두 가지 관점이 있다고 하였는데 바로 고정 마인드셋과 성장 마인드셋이다. 고정 마인드셋을 가진 사람은 타인에게 똑똑해 보이고 싶은 욕구가 있어서 아무리 좋은 것이 있어도 쉽게 다가서지 못한다고 한다. 그러나 필자는 좀 더 확장된 개념을 사용하길 좋아한다. 고정 마인드셋을 가진 사람은 자기보호의 차원에서 안정된 가치를 지향하기 때문에 지금 가진 평판을 향상시키는 것보다 보존하는 전략을 택하지 않았을까 하는 생각을 가지는 것이다. 앞서 언급했듯이 모든 행동은 의도에서 나오기 때문에 애써 도전하고 시도함으로써 불확실한 결과를 만들고 싶지 않을 것이라고 생각된다.

이와 반대인 성장 마인드셋은 자신을 성장시키고자 하는 욕구가 유지 욕구보다 더 크기 때문에 도전한다고 생각한다. 성장마인드셋을 함양한 사람은 두려워도 도전하고 시도하며 그럼으로써 얻은 경험에 대해 비판하며 교훈을 얻는 사람이다. 당신은 어떤 마인드셋을 가진 사람인가?

08
솔직함으로 승부하라

최대리는 작년 4월에 입사한 젊고 강렬한 에너지를 풍기는 직원이다. 연초 성과평가 시즌이 되어 최대리에게 어떤 평가를 주어야 하는지 고민하다 B를 주었다. 팀 막내인 김사원에게 일을 가르쳐 주기도 하고 나의 고민을 해결하기 위해서도 많은 힘이 되어 주었지만, 작년 1년을 꽉 채우지 않았고 팀 내에 누군가는 B를 받아야 하는 상황이었기에 직장 경험이 있는 센스 있는 최대리라면 충분히 눈치껏 알아서 잘 이해해 줄 것이라 생각했다. 다음에 좋은 평가를 주면 되니 1:1 면담에서 적당히 잘 설명하고 서로 좋게 대화를 나누었다.

솔직히 말하기 보다는 더 잘해야 한다는 말로 마무리 한 것은 조금 걸린다. 얼마 후부터 최대리의 태도가 돌변했다. 갑자기 인사도 질 하지 않고 나를 볼 때마다 표정이 어둡다. 불만 가득한 눈빛은 확실히 알겠지만, 물어보면 정색하며 아무 일도 아니라고 하니 더 말을 건네는 것도 이상한 것 같아 눈치가 보인다. 어느 날 다른 직원의 컴퓨터를 보며 회의를 하던 중 최대리가 그 직원에게 보낸 메시지를 보게 되었고 나에 대한 좋지 않은 말을 적어둔 것을 보았다.
나는 지금까지 최대리에게 주기적으로 면담도 하면서 경력적으로 성장할 수 있도록 도움을 주려 노력하였고, 다른 팀장들과 임원들에게도 좋은 인재라고 셀링하며 지내왔는데 그 시간들이 너무나 아깝게 느껴진다. 너무나 괘씸하다.

최대리의 속마음

나는 입사 후 밤 낮 없이 자신의 모든 것을 바쳐 김팀장의 인정을 받기 위해 노력했다. 전문가이자 경력자로서 나이 어린 김사원의 성장을 부탁한다는 김팀장의 요청에 부흥하기 위해 가지고 있는 모든 노하우를 전수하고 알려준 결과, 이제는 꽤 일을 괜찮게 한다는 생각이 든다. 뿌듯하기도 하고 팀에 큰 기여를 한 것 같아 만족감이 들었다. 팀장 심부름으로 팀장의 빈자리에 갔다가 김사원이 S를 받고 내가 팀 내 최하 평가인 B 평가를 받은 것을 알게 되기 전 까지는.

김팀장에게 이용당했다는 생각에 불쾌하다. 봐서는 안되는 기밀정보를 알게 된 것이기에, 다른 사람의 평가 점수들을 알고 있다며 공개적으로 따지기도 어렵다. 본인의 속은 시커멓게 타들어 가는데, 김사원을 전사적으로 띄워주며 사람들과 웃고 떠드는 김팀장은 보면 볼수록 꼴 보기가 싫다. '하.. 또 이직해야 하나' 하는 생각이 들어 채용정보 어플들을 뒤적거린다. 그리던 어느 날, 팀장의 요청으로 업무 조정에 대한 미팅이 진행되었고, 나에게는 팀의 허드렛일들만 남게 되었다. 내가 지금까지 김사원에게 알려주고 트레이닝했던 주요 업무들은 고스란히 김사원과 다른 직원이 나눠서 맡는다고 한다. 어처구니가 없고 속이 뒤틀린다. 하지만, 내가 항의해 봤자 나만 손해를 볼 것이다. 어제는 스트레스가 극에 달해 정신과를 찾아 신경안정제 약을 먹었다. 내일은 직장 내 괴롭힘으로 인사부에 조용히 면담을 요청해야겠다는 생각이 들었다. 사직서와 함께 한 방 먹이고 시원하게 나가야겠다.

진정성 있기 어려운 대한민국 리더

요즘 많이 화두가 되고 있는 진정성 있는 리더십이란 자신의 감정, 가치, 신념을 솔직하게 표현하고 이를 행동으로 옮기는 것을 의미한다. 이를 위해서는 마땅히 자신의 강점과 약점을 모두 인정하고 이를 팀원들과 공유하는 것을 포함하는데 대한민국 조직의 리더로서 이러한 진정성을 표현하기란 굉장히 어려운 것이 현실이다. 여기 실제 리더들이 겪고 있는 몇 가지의 문화적 어려움에 대해 살펴보자.

a. '약점을 보여서 날 무시하면 어쩌지?'에 대한 두려움

진정성 있는 리더가 되기 위해 많은 곳에서 자신의 취약성을 인정하고 이를 드러내라고 말하지만 리더의 입장에서는 자신의 취약성을 솔직하게 표현했을 경우 자신의 리더십에 대한 신뢰를 잃을 수 있다는 두려움을 갖게 되거나 실제 그런 상황에 빠지는 경우가 있다.

b. '그걸 꼭 말로 해야 하나..' 와 같은 간접 의사소통

리더들이 진정성을 표현하기에 어려운 이유 중 하나는 뿌리박힌 문화적 요인이다. 우리나라는 오랜시간 직접적인 표현보다 간접적인 의사소통 스타일을 선호해 왔다. 직접적인 표현을 통한 충돌보다 뉘앙스나 상황을 통해 전달하는 방식으로 자신의 생각을 전달하는 경우가 많다. 여기에서 오는 잘못된 해석이 서로에게 오해를 일으키고 진정성을 의심하게 되는 경우가 생기는 것이다.

c. '권위적인 팀장이 되고 싶지 않아.' 수평적 문화의 역설

리더의 위치에 있다보면 부정적 피드백을 하거나, 팀원들의 의견보다 앞서 강단있는 의사결정을 해야 하는 순간들이 있다. 그러나 최근 '수평'이 강조되는 조직문화의 흐름에서 이런 부분을 제대로 시도하지 못하고 돌려 말하거나 다양한 의견을 듣느라 시간을 낭비하는 경우가 있다.

이러한 문화들로 인한 어려움을 극복하면서도 진정성은 꼭 필요한 것일까? 이러한 문화적 요인들과 그 안에서 겪는 딜레마 상황들로 인해 리더들은 조직 내에서 진정성 있게 솔직하고 투명한 의사소통을 수행하기가 매우 어려운 일이 될 수 있다. 그러나 리더의 진정성은 복잡성이 높아져 가는 지금의 조직에서 신뢰와 협력을 구축하는데 핵심요소가 될 수 있다. 따라서 이러한 장애요인을 극복하고 진정성을 발휘할 수 있는 전략을 구축하는 것이 필요하다.

진정성의 필수 기술 솔식함

'실리콘밸리의 팀장들' 을 써낸 저자 킴 스콧은 매일 불확실성을 마주해야 하는 조직일수록 조직원 간 신뢰를 기반으로 한 '극단적 솔직함'이 깔려있어야 한다고 조언했다. 그리고 이러한 '극단적 솔직함'은 혼자서 달성하기 어려운 성과를 협력을 통해 이룰 수 있도록 돕는 기술이라고 했다. 사실 리더가 자신의 생각을 솔직하게 표현한다는 것은 말처럼 쉬운 일은 아니라는 것은 우리 모두가 피부로 느끼는 지점이기도 하다.

솔직함을 나타내는 영문자 'Frank'는 영어 'Free'에서 유래된 단어이다. 즉, 솔직함이란 마음의 숨김 없이 자유롭게 모든 것을 이야기하는 것이라는 의미다. 리더의 이러한 솔직하고 정직한 피드백에 대해서 실제로 젠거 포크먼이 실시한 2019년 한 설문조사에 따르면, 응답자 2700명 중 94%가 잘못을 바로잡는 피드백을 제대로 받았을 때 성과가 향상되었다고 답했으며 피드백을 더 많이 받으면 커리어와 성과에 성공가능성이 더 높아질 것이라는 문장에 동의했다. 즉, 구성원 역시 이러한 리더의 솔직한 피드백이 분명히 효과가 있다는 것을 어느 정도 공감하고 있다는 것이다. 그렇다면 기분 상하지 않으면서 솔직함이 선순환으로 작동되어 리더의 진정성을 보이기 위해서는 어떻게 해야할까? 아래의 목록을 참고해 본인에게 가장 맞는 것들을 찾아내길 바란다.

1. 피드백 방식 다양화 하기

a. 일대일 담소 나누기

- 팀원들끼리 서로 피드백을 한 적이 없다면 다음 달부터 직속 부하에게 각 팀원과 개별적으로 만나 기본 규칙에 따라 피드백을 하도록 한다. 기본 규칙은 팀원들과 상의해서 정하되, 내용의 비밀유지와 긍정적인 표현을 사용하는 것들은 기본규칙에 필수로 포함한다.

b. 스피드데이트 회의

- 팀원 간 관계가 비교적 친밀하다면 좀 더 공개적으로 피드백을 공유할 수 있도록 한다. 참가자들에게 서로에 대한 빠른 피드백을 준비해 달라고 요청한다. 짝을 지어 6분간 토론하되, 각자 3분씩 상대방에게 피드백을 하는 방식으로 진행한다. 회의가 끝나면 각자가 모두 팀원에게 받은 피드백 중 한가지를 공개적으로 발표하고 실행한다.

c. 실시간 360도 다면평가

- 관계가 돈독하고 성숙한 팀이라면, 팀원들이 한자리에 모여 식사를 하며 돌아가면서 이야기를 나눈다. 내 차례라면 바로 왼쪽에 앉은 사람이 나에 대해 공개적으로 피드백을 하고 나는 경청한다.
  차례가 끝나면 감사 인사를 한다. 이렇게 한바퀴 돌았다면 마지막에는 각자가 받은 피드백에서 얻은 핵심 내용을 한 가지씩 발표한다.

2. 자기인식에 힘쓰기

진정성 있는 리더십의 핵심은 먼저 자기 자신을 이해하는 데에서 시작한다. 리더는 자신의 강점과 약점, 가치관, 감정적 반응을 정확히 파악해야 하니 앞선 내용을 숙지하면 좋다. 이는 자기 인식의 여정으로 정기적인 자기 반성과 동료들의 피드백을 통해 이루어지게 된다. 리더가 자신을 잘 이해할수록, 자신의 행동과 결정이 팀과 조직에 어떤 영향을 미치는지 더 잘 파악하게 되므로 발전적인 삶을 예견할 수 있다.

3. 명확하고 직접적인 메시지 전달

진정성 있는 리더는 효과적인 의사소통을 통해 자신의 생각과 감정을 솔직하게 전달한다. 이는 팀원들이 리더의 의도를 정확히 이해하고, 이에 기반한 효율적인 의사결정을 할 수 있게 한다. 또한, 리더는 팀원들의 의견에 귀를 기울이고, 그들의 아이디어를 존중하여 팀 내에서 개방적이고 신뢰할 수 있는 소통 문화를 조성한다.

4. 모범적 행동

리더의 말과 행동의 일관성은 팀원들에게 신뢰를 쌓는 중요한 요소다. 리더가 약속을 지키고, 공정하고 일관된 방식으로 행동할 때, 팀원들은 리더를 믿고 따르므로 팀의 긍정적인 분위기와 생산성 향상에 기여하며 소통 문화를 조성한다.

5. 피드백과 개방성

진정성 있는 리더는 팀원들의 피드백을 적극적으로 수용하고, 다양한 관점을 존중한다. 이는 문제 해결과 혁신을 위한 다양한 아이디어를 촉진한다.
리더가 팀원들의 의견을 경청하고 가치있게 여길 때, 더 적극적인 구성원의 참여와 창의적 해결책을 제안하게 된다.

6. 취약성의 표현

취약성을 표현하는 것은 리더의 강점이다. 리더가 자신의 실패와 약점을 솔직하게 인정하고 이를 공유할 때, 구성원들에게 강력한 메시지를 준다.
그 메시지의 핵심은 리더라고 완벽하지 않으며, 모든 사람이 실수로부터 배우고 성장한다는 것이다. 이것은 팀 내에서 신뢰와 협력을 강화시키는 중요한 요소가 된다.

넓고 깊은 대화를 위한 도구, 스토리 럼블

스토리 럼블이라는 말이 있다. 리더와 팀원 간의 깊은 연결을 형성할 수있는 대화과정을 의미하는데, '취약성'연구로 잘 알려진 브레네 브라운이 언급한 용어이다. 이 기술은 리더들이 팀원들과 더 가까워지고 의미 있는 대화를 나누는데 필수적인 기술로서 개인적인 이야기를 공유하게 하고 서로의 경험을 이해하면서 공감을 형성하는 과정을 포함하는 것을 실천할 수 있게 한다. 워크숍 같은 기회를 이용하여 조직에서 적용할 수 있는 스토리 럼블을 단계별로 살펴도록 한다.

a. 스토리 럼블의 준비: 두 가지 환경

(1) 개방적인 마음가짐 : 리더는 개방적이고 비판적이지 않은 태도를 취하기

(2) 편안한 환경 조성 : 팀원들이 자신의 이야기를 편안하게 나눌 수 있도록 분위기 조성

b. 스토리 공유 시작

준비과정이 모두 끝났다면 이제 이야기를 시작한다.

먼저 리더가 솔직한 이야기를 시작하는 것이 규칙이다.

(1) 자기 스토리 공유 : 자신의 경험, 감정, 생각을 솔직하게 털어놓는다.

(2) 참여 장려 :리더는 팀원들에게 자신의 이야기를 나누도록 격려합니다.

c. 경청과 공감

너무나 당연한 기술이지만 특히, 성공적인 스토리 럼블을 위해서는

경청과 공감이 매우 중요하다.

(1) 경청

- 리더는 팀원들의 이야기를 주의 깊게 듣고, 중단시키거나 판단하지 않는 것을 목표로 삼는다. 경우에 따라 질문도 한다.

(2) 공감 표현

- 이야기에 공감하고, 경험을 이해하려는 노력을 보인다.

d. 반응과 피드백

이야기를 충분히 들었다면 이야기를 듣는 중 또는 들은 후에 피드백 전달이 중요하다.

(1) 긍정적 반응 제공 : 긍정적이고 지지적인 반응을 보인다.

(2) 건설적 피드백 : 적절한 상황에서, 이야기와 관련된 피드백/조언을 준다.

e. 학습과 적용

리더와의 대화는 모두 위계가 생길 수 있다. 이 단계로 위계를 없애고 좀 더 수평적인 관점에서 서로에게 집중하게 되는 중요한 단계다.

(1) 공유된 이야기에서 배우기 : 앞서 나온 이야기들을 통해 배운점을 정리하고 발전 방향에 적용한다.

(2) 정기적 실시 : 이 프로세스를 정기적 활동으로 정하여 팀의 문화로 만든다.

스토리 럼블은 일견 집단 상담이나 코칭의 방식과 비슷하다. 그러나 심리적인 부분 혹은 현재의 이슈를 다루지 않는다는 점에서 다르다고 볼 수 있다. 이 과정은 리더가 팀원들의 다양한 관점과 경험을 듣고 존중하며 팀 내에서 개방적이고 지지적인 대화 문화를 조성하는 데 기여하는 기술이다.

맺음말

리더가 된다는 것은 매우 어렵고 험한 길이다. 그에 따른 성장이 필수로 이어지며 전보다 나은 나로 발전할 수 있는 기회의 길이기 때문이다. 그러나 이 모든 기술들과 역량들의 핵심은 사람과 함께 살아가는 방법이기에 꾸준히 정진하고 소화한다면 훨씬 더 사랑스러운 나 자신을 만날 것이라고 자부한다. 또한 바로 앞전에 언급한 솔직함은 누군가에게 불편함으로 작동될 수 있는 양날의 검과 같기 때문에 최종 보스급 기술이다. 그러므로 리더는 지속적인 '자기 성찰'을 통해 정기적으로 자신의 행동과 결정을 돌아보고, 이를 개선하기 위한 노력을 해야 한다. 뿐만 아니라 타인의 감정을 들여다보고 공감하려는 훈련도 지속적으로 진행해야 한다.

많은 조사에서 팀원들의 "성장"은 너무나 중요한 목적으로 나타나고 있으며 일은 모든 사람들의 '삶의 축'이라고 볼 수 있다. 삶의 축을 성장시키는 리더라는 자리는 그 자체만으로도 너무 귀하고 가치있지 않은가? 만일 글을 읽는 당신이 이들을 위해 개인적, 전문적 성장을 지원하고, 그들의 성공을 축하해야 하는 위치라면 분명 의미있는 일을 하는 것이라고 생각한다.

끊임없이 자신을 돌아보고 관계를 위해 학습하며 진정성 있는 마음으로 팀원의 성장을 이끄는 것. 이 세 가지가 꾸준히 실천되었을 때 보다 우리는 더 나아질 것이다. 또한 리더십이란 리더 자신의 성장뿐만 아니라, 팀과 조직 전체의 발전에 기여하는 것이라는 걸 몸소 깨달을 수 있을 것이다. 우리 모두가 발전을 이루는 이른바 세상과 윈윈(win-win) 하는 각자가 되길 바래본다.

AI는 못 따라오는 리더의 감성지능